『ドイツ研究』第 55 号

目次

JN118716

特別寄稿

学会通信

東ドイツの長い影
——東西ドイツ統一から30年

企画趣旨

秋野有紀／藤原辰史

■ はじめに

東ドイツ終焉から30年を経た今日もなお，この国で経験されたことは，ドイツ連邦共和国の政治，教育，経済そして芸術文化に引き継がれている。東ドイツを論じる諸学問の問いも，1990年を近現代ドイツ史の達成点として特権的に語るものから，東ドイツ時代の継承や，90年以降の「長い影」がもたらす現在への影響を論じるものへと変わりつつある。東ドイツが連邦共和国に落とした30年に及ぶ「影」の実態は，新自由主義と格差，右派ポピュリストの勃興，社会の分断，あるいは新しい文化表現への挑戦といった現代ドイツの現象を知る上でも，無視することができない。

2020年度の日本ドイツ学会シンポジウムでは，歴史学，文学，社会学を専門とする研究者4名が，東ドイツを主題にそれぞれの問題意識から発表をし，この節目の年に東ドイツ研究の新たな道を探った。

1 東ドイツの終焉

まず，本題に入る前に，基本的な事実を確認しておきたい。東ドイツの人民議会は，連邦国家である西ドイツへの編入のために，1990年7月22日にラント制導入法（Ländereinführungsgesetz）を可決，1952年以来の郡県制に代わって5つの州が復活した。同年8月23日には東ドイツの人民議会が，1990年10月3日をもって，基本法の適用範囲に加わる旨の宣言を採択し，8月31日に東西両ドイツが統一条約（Vertrag zwischen der Bundesrepublik Deutschland und der Deutschen Demokratischen Republik über die Her-

stellung der Einheit Deutschlands）に調印，9月23日の連邦議会による同意を経て，同月29日に発効した。この間，9月12日にはモスクワで，英米仏ソの四国が戦勝国の権利の消滅と統一後のドイツの完全な主権の回復等をうたったドイツに関する最終規定条約（Vertrag über die abschließende Regelung in bezug auf Deutschland）に調印，ヤルタ体制に終止符が打たれた。東西分裂の象徴であったベルリンは，独立の都市州として再編成され，その特殊な法的地位は消滅した。

こうして1990年10月3日，東西両ドイツの再統一が成し遂げられ，東西両ベルリンを合一したベルリンと，東ドイツ地域に新しく作られた新5州に従来の西ドイツの州を合わせて，合計16の連邦州から成る連邦共和国が成立した。この統一は東ドイツ側からの連邦共和国への加入（Eintritt）の意思によってなされたものであるとはいえ，実質的には西ドイツによる東ドイツの吸収合併であり，再統一後の国名も憲法典の名称も維持されている[1]。

2 諸発表の位置

ドイツ再統一後の東側出身者の精神活動は，その継続性と断絶性の両面から探られてきた。ただ，科学者たちのライフコースの中でそれがどのようにみられるのかについての研究は依然として不十分なままである。飯島幸子報告は東ドイツ出身で社会科学を教えていた教授陣のインタビューを通じて，東ドイツ知識人の「大学改革」後の進路を類型化する。

今日，極右勢力勃興のニュースに接するたびに，それが東ドイツ地域に顕著な傾向である要因として，西ドイツの

（1）高田敏／初宿正典（編）『ドイツ憲法集（第6版）』（信山社，2010年），15-16頁。

ような批判的歴史教育を受けてこなかったからだという指摘を耳にする。だが，1976年のビアマン事件[2]で知られるように，東ドイツは批判的知識人を積極的に国外に「排出」しようとする一方で，最後まで検閲を維持した。それは，東ドイツが批判精神の抑圧に手こずっていたという事実のあらわれでもある。つまり，東ドイツ史の「特別性」を当然視するまなざしは深く問われなければならない。東ドイツ史研究状況の変化を俯瞰する伊豆田俊輔報告は，「1945-1990年」という歴史の枠組の相対化を目指し，たとえば1920年代生まれの知識人の世代的経験を事例としながら，ドイツ現代史の叙述の多様化への回路を開く。

宮崎麻子報告は，文学研究の立場から，ドイツ現代史の枠組みに揺さぶりをかける。「東ドイツ・アイデンティティ」から逸脱する作家たちとその作品を扱うなかで，ドイツ再統一後も依然として残る「東ドイツ人」というアイデンティティを固定化しようとする，検閲とはまた別の西側の「規範」を，逆照射する研究といえよう。ジェンダーの問題が宮崎報告の分析から自然と滲み出てくるのも，「アイデンティティ」の揺らぎを研究対象とする方法の強みである。

国家的な検閲に限らずとも，つねに他者の目を気にせざるを得ない社会では，芸術家は高度に抽象表現を研ぎ澄ませる。表現の自由を尊重しない体制では，いつも表現の質が低くなるわけではない。後述する統一ドイツの連邦文化政策の東ドイツ支援の偏りは，この点を考慮するとやはり違和感を与える。また，市民たちは，「意味のある消費」を推奨される中でも，多様な文化を享受しようとしていた。こうした事実を明らかにする矢崎慶太郎報告は，アンダーグラウンドの抽象芸術の文化的社会的な背景をあぶり出し，東ドイツ時代の余暇と抑圧の相克を描きだしている。

3 予備的考察

ベルリンの壁が崩壊したとき，西ドイツの側でも崩壊し

たものがある。その一つが，州の誇る「文化高権」である。「文化高権」とは，国と文化の距離を可能な限り広くとり，文化に関する立法権を州に集約させるというもので，ナチ時代の中央集権的芸術統制政策に対する西ドイツの反省から生まれた政策設計の一つであった。

けれども，東ドイツの終焉は，西ドイツの文化連邦主義（Kulturföderalismus）に亀裂を入れ，戦後長らくタブー視されてきた連邦政府による文化政策への扉を開き，今日に至る。まさに，文化立法権の地域分散を弱め，連邦と「協調」する「文化連邦主義」が誕生したといえよう。

統一条約は，国家体制がたとえそれぞれ別の発展をしたとしても，ドイツ国民の統合の基盤として存続し続けていたものとして，芸術と文化を強調した。実際，第35条では，暫定措置として連邦の共同財政支援を「排除しない（nicht ausgeschlossen）」[3]とし，芸術文化領域への連邦政府の関与に道筋を付けた。1990年から2019年までに連邦政府が新5州（東ドイツ地域）の芸術文化機関の維持のために拠出した支援額は，20億ユーロ（約2500億円）に上る[4]。現任の首相府文化メディア担当国務大臣（BKM）モーニカ・グリュッタースが認めるように，新5州への財政支援の着手が，「連邦政府と連邦議会にとって，明らかに積極的な連邦文化政策を産んだ時刻（Geburtsstunde）となった」[5]のである。

こうした変化は，一面では，迅速かつ実効的に文化政策を現代化したと評価されうるだろう。だが他方で，恣意的権力作用を極力排除する民主的な文化政策を掲げてきたドイツの従来の姿に，懐疑心を抱かせる火種を抱え込んだのも事実だ。というのも連邦政府は，財政基盤が脆弱な東ドイツ地域の芸術文化への支援を行う理由として，「ドイツ全体にとって意義を持つもの」を維持する必要性を掲げ，それに相当するものを専門家に委嘱し，選定しているからだ。2019年には「東ドイツ（DDR）終焉から30周年を記念して」[6]，連邦政府によるこれまでの支援が「1989年以降のドイツ東部における重要な文化機関の発展」[7]に寄与したというコンセプトの冊子をまとめた[8]。けれどもこの

（2）1976年11月に，体制を批判する劇作家で詩人のヴォルフ・ビアマンの市民権を，SEDが剥奪し，民衆の抗議運動が起こった事件。

（3）Bundesministerium der Justiz und für Verbraucherschutz: Vertrag zwischen der Bundesrepublik Deutschland und der Deutschen Demokratischen Republik über die Herstellung der Einheit Deutschlands, Ausfertigungsdatum: 31.08.1990, S. 13-14. https://www.gesetze-im-internet.de/einigvtr/art_35.html（2020年9月16日最終閲覧）

（4）ただし，年次文化予算の2%程度であり，割合はそれほど大きいわけではない。1994年の統一基金による移行期支援の後は，連邦政府の支援は各文化機関や催しにかかる必要経費の50%までとなっている。

（5）Die Beauftragte der Bundesregierung für Kultur und Medien（Hrsg.）, *Kulturelle Leuchttürme – Die Entwicklung bedeutender Kultureinrichtungen in Ostdeutschland seit 1989*, Berlin: Druck- und Verlagshaus Zarbock GmbH & Co. KG, 2019, S. 4.

（6）2019年12月にBKMで聞き取り調査を行った際にBKMのNo.3と呼ばれる芸術振興局長が執筆者に対し資料を見せ，このように説明をした。

（7）Die Beauftragte der Bundesregierung für Kultur und Medien（Hrsg.）, *Kulturelle Leuchttürme – Die Entwicklung bedeutender Kultureinrichtungen in Ostdeutschland seit 1989*.

（8）ここでの支援項目は，2001年にBKMの委嘱により，ヴォルフェンビュッテルのアウグスト図書館長やフランケ財団長を歴任して

冊子の中に，東ドイツ時代に生み出された文化組織は一つも記されていない。まさしく，東ドイツ文化不在の東ドイツ終焉周年記念事業だったのである。

　注意深く読めば，確かにタイトルには「Ostdeutschland（ドイツ東部）」が使われており，政治体制であるDDR（東ドイツ）を指してはいない。東ドイツ地域に存在し，「ドイツ全体」にとって格別の意味を持つ文化機関を支援した30年の軌跡という説明に嘘はない。大半の創立は東ドイツ時代以前，最も古いものは1560年に遡る。

　「ドイツ全体にとっての意義」という定義は，統一ドイツの文化面でのアイデンティティを形成・表象するために相応しいものを選ぶよう，無言の圧力をかけてくる。東ドイツを生きた人々は東ドイツ時代を除いたドイツの文化史を統一ドイツ政府が紡ぎあげていくことに，何を思うのだろう。東ドイツ時代に花開いた諸文化が，再統一後に，他の支援枠組みによって間接的に支援されていた可能性をたとえ完全に排除できないとしても，連邦文化政策と東ドイツ地域を結ぶ政策に東ドイツ時代の文化は基本的に不在である。このことに，「未開」の地の創造活動をプリミティヴなものとして見下し，破壊したドイツの過去との相似を連想することも不自然ではないだろう。ナチ時代の文化政策では，文化とは何であるかを政府が恣意的に決めた。ナチ時代の反省からこそその合意形成過程の民主化という道筋が見いだされたはずだった。その視点に立つならば，迅速で効果的な支援という評価の裏側で，政治・経済体制と軌を一つにして，東ドイツの人々のあらゆる精神文化的側面も蒸発し，その残影ばかりがゆらめいている現状があるとすれば，過去の反省を旗印にしている統一ドイツの現在の諸政策の正当性は，今後批判の俎上に置かれるだろう。

　こうした意味でも，東ドイツの「長い影」をめぐって明らかにされなければならないことは，極めて多く存在する。かの共和国宮殿は現在，アスベスト問題のために取り壊され，かつてのベルリン王宮を偲ばせる姿で蘇りつつある。東ドイツがかつて威信をかけた建造物の跡地に，2020年12月，連邦文化政策肝いりの煌びやかな世界文化のショウケースである〈フンボルト・フォーラム〉が，開館した。

　先述の冊子には，1990年代初頭のドイツ東部において廃墟と化していた文化機関の姿の写真と，支援後30年を経てぴかぴかにお化粧直しを済ませた後の写真が対比されている。それらの写真は，東ドイツの終焉が前景化する中で，人々が生み出したはずの文化が，まるで行方不明になったかのような印象を与える。

　四者の報告は，まさにドイツ連邦共和国の文化政策に象徴されるような非対称性を，知識人や作家や芸術家など，さまざまな具体的事例から浮かびあがらせ，「1945-1990」という枠組みから漏れ出る歴史的論点を抽出する試みにほかならない。それはきっと，単に東ドイツだけでなく，ドイツ近現代史全体にも新しい光を当てることになるだろう。

＊以下に続く原稿は，2020年6月21日開催の日本ドイツ学会シンポジウムの報告をもとにしている。ただし，発表者の矢崎氏は，本人の希望により，原稿を掲載していない。

きたパウル・ラーベが，1990年以降に連邦の支援を受けてきたか否かを問わず，国内的にも国際的にも意義のあるものの選定を行った「青書」を下敷きにしている。国際的に評価が高くとも，劇場，歌劇場，オーケストラ，図書館の支援は，州の責任とされた。ラーベのこのいわゆる「文化の灯台」リストは，連邦文化政策を体系づける基礎となり，今日まで連邦の多様な支援の指針となっている。

社会変動と知識人の運命
——統一後「大学改革」とDDR社会科学者の経験から

飯島幸子

1 はじめに

　2020年10月3日，統合ドイツは30周年を迎えた。第二次世界大戦後の東西分断から四十余年を経て達成された1990年のドイツ統一は，いまや高校の世界史教科書にも掲載され，現代史の中の一つの出来事として認知されるようになった。東西冷戦で対立する陣営それぞれに属した2つの国家が統一するに際しては，まったく異なる社会システムをもつ東西2つのドイツが「統合ドイツ」として再編されねばならなかったという意味で，非常に大きな社会変動をともなう事例であったことに異論を唱える者はいないであろう。しかし，国際法上のドイツ統一が，実は，「1990年10月3日付け基本法第23条に従ったドイツ連邦共和国（西ドイツを指す——筆者）基本法適用範囲へのDDR（ドイツ民主共和国，東ドイツを指す——筆者）の加入」[(1)]という文言の国際条約であったことは決して多くの人に知られていない。「加入（Beitritt）」という語が指すのは，決して対等な統一ではなかったこと——東ドイツ（DDR）は西ドイツに吸収合併されるかたちで消滅し，西ドイツ側の多くの社会システムが同じ国家名（ドイツ連邦共和国）を冠する統合ドイツに引き継がれたこと——，それゆえに，統一によりもたらされた社会変動の影響は，東西ドイツの両当事者にとって決して同等ではなかったという認識は必ずしも広く共有されている訳ではない。

　「不可視化された東側の経験」に着目することからスタートし，やがて旧DDR社会科学者らの統一に関わる経験（ライフヒストリー）を扱うようになった本研究[(2)]は，統一後の「大学改革（Universitätsreform）」の事例を知識社会学的な視点から論ずるとともに，変動期における社会史と個人史の観点から，大学改革により困難に直面した社会科学者らが自身のキャリアをつなげるためにどのような適応の戦略をとっていったかに着目した。インタビューによる聞き取り調査を実施する中では，旧DDR社会科学者たる対象者らによる語りの内容は，聞き手の属性によって大きく異なっていたであろうことも強く実感された。すなわち，収集されたライフヒストリーは，日本という遠い国の若手の社会学研究者が日本の大学に提出する予定の博士学位論文への調査協力という諸要因が偶然にもうまくプラスにはたらくことにより得られた，対象者の語りの内容（質的データ）として位置づけられるものであり，これがもし聞き手がドイツ人であれば——それも，対象者らと同じく東側出身者であるか，あるいは西側出身者であるかにより——，語られ方も語られる内容もひどく違っていたであろうことは想像に難くない。聞き手がドイツ統一という経験を持たず中立の立場にあること（筆者のケース）がポジティブな効果を生むということは，翻ると，ドイツ統一に直接関わる経験を持つ者同士にあっては，その立ち位置により，インタビューの聞き手と語り手との関係性に間違いなく大きな変化が生じるということである。

　この度，シンポジウム「東ドイツの長い影——東西ドイ

（1）„Der Beitritt der DDR zum Geltungsbereich des Grundgesetzes der Bundesrepublik Deutschland gemäß Artikel 23 GG zum 3. Oktober 1990" 筆者訳。

（2）Sachiko Iijima, „Die Durchführung einer soziologischen Interviewrecherche im Ausland. Der Rapport und die Interaktion auf das Interview", 『日独研究論集 *Jahresblätter für japanische und deutsche Forschung in Japan – Interkulturelle Kommunikation: Reiz und Dilemma*』 Nr. 3, 2008, S. 65-76; Sachiko Iijima, „»Die deutsche Wiedervereinigung« und die Universitätsreform. Der Abbau des Mittelbaus in ehemaligen DDR-Hochschulen und dessen Widerspiegelung in der Lebensgeschichte von Sozialwissenschaftlern der Humboldt-Universität zu Berlin", 『日独研究論集 *Jahresblätter für japanische und deutsche Forschung in Japan*』 Nr. 5, 2010, S. 29-42; 飯島幸子「第13章『ドイツ統一』に関する東ドイツ社会科学者の経験——ベルリン・フンボルト大学を事例としたインタビュー調査より」野上元／小林多寿子『歴史と向きあう社会学——資料・表象・経験』（ミネルヴァ書房，2015），301-322頁；飯島幸子「ドイツ統一と大学改革——ベルリン・フンボルト大学における2つの改革に関する社会学的考察」『学苑』第900号（2015），67-79頁；飯島幸子「旧東ドイツ社会科学者の経験——大学改革前史のライフヒストリー分析」『文明21』No. 41（2018），83-100頁；飯島幸子「ドイツ統一後の『大学改革』と中間教職員が直面した困難——ベルリン・フンボルト大学における事例研究」『文明21』No. 44（2020），135-152頁。

ツ統一から 30 年」によせて，社会学的手法により本研究が取り組んできた「不可視化された東側の経験」の一端を社会変動と知識人の運命という文脈から示すことにより，統一から 30 年を経てなお現代ドイツに差す東ドイツの長い影の一側面について問題提起したい。以下，関連する本研究のエッセンスを紹介する。

2 社会変動と知識人の運命 ——知識社会学的パースペクティブから

　長く社会学が主題としてきた社会規範や社会的価値は，私たち社会の中で生きる人間には通常，意識されることなく大きな影響を及ぼす一方で，とりわけ静的・安定的な社会では，その社会構造と密接に一体化することで非常に見えにくいものとなる。何らかの要因で外側の社会構造が揺らぎずれることで，内側に張りついた社会規範や社会的価値が顕わになるため，社会変動は普段は見えにくいそのあり様を観測する重要な契機となる。他方で，そもそも社会科学は社会のあり方と非常に近い性格をもつ学問として位置づけられる。社会の需要・要請を受け，その時の社会の求めに応じる課題・テーマに常に敏感に反応することは，社会科学にとって当然の前提と言えよう。社会と学問（社会科学）のこのような関係性を明らかにする契機として，やはり社会変動は機能する。昨日までは，社会の要請によく応えていたはずの模範的な問いが，一夜明けて事態が急変し，今度はその問いを発することすら禁忌とされてしまうようなことも，歴史の中ではしばしば観察されてきた。

　社会変動と知識人，社会変動と知のあり方を考える上で，ドイツ統一は格好の事例となった。統一により併合された旧 DDR 地域を中心に，おもに「DDR の植民地化[3]」の文脈の下で「大学改革」が問題化されるようになった。たとえば，フィルマーはビュルクリンらの「地位エリート」の概念[4]を援用し，西側出身の地位エリートによる独占を論じるために主要社会領域における状況を整理し，統

合ドイツにおける旧 DDR 人口が占める割合が 20% であるところ，学界の東側出身者がわずか 7.3% に過ぎないという衝撃的な数字を提示した[5]。マインツらによる大学改革に関する基礎研究では，旧 DDR の 5 大学の事例が取り上げられるとともに，西側主導による強権的な「上からの改革（Reform von oben）」が問題化された[6]。

　DDR 時には旗艦大学として「エリート養成所（Kaderschmiede）[7]」たる役割を担ってきたベルリン・フンボルト大学の社会科学者を対象に実施した本研究のインタビュー調査では，2 つの大学改革——マインツの唱える「上からの改革」に加えて，「民主的な改革」と呼べるもの——が存在したことが分かった。一般に，統一後に旧 DDR 大学で断行された大学改革は「上からの改革」のイメージが強く，当事者の後のキャリアに与えた影響も甚大であった。たとえば，マインツの編著でベルリン・フンボルト大学の事例を担当したナイトハルトは，大学の職位カテゴリーごとの人員異動数値（ノルマ目標値を含む）を示した上で，東側出身者をターゲットとした人員削減は織り込み済みの手続きであった点を指摘するとともに，本来であれば「第三の道」を模索する好機でもあった大学改革は失敗し，西側の大学システムを無批判に移植する結果がもたらした問題に言及している[8]。

　一方で，ドイツにおける過去の大学改革の事例をまとめたシェルスキーの知見[9]をもとにベルリン・フンボルト大学における統一後の大学改革を比較検討すると，ベルリンの壁崩壊後に始まった「民主的な改革」は，シェルスキーが分類する大学改革の 3 タイプの中で，本来であれば第三の理想的なタイプとなりうる萌芽をそなえていた。しかし，わずか半年後に開始された「上からの改革」により，「民主的な改革」は改革の達成を見ることなく，その試みは途中消滅してしまった。そして，「上からの改革」はシェルスキーの唱える第一のタイプとして分類されかねない，危険な急進的改造の側面を抱えていた点を指摘できる。ベルリン・フンボルト大学における統一後の大学改革

（ 3 ）Wolfgang Dümcke / Fritz Vilmar (Hrsg.), *Kolonialisierung der DDR. Kritische Analysen und Alternativen des Einigungsprozesses*, Münster: agenda Verlag (3. Auflage), 1996 参照。なお，Dümcke 氏は本研究でインタビュー調査を実施した対象者の一人でもある。

（ 4 ）Wilhelm Bürklin / Hilke Rebensdorf u.a., *Eliten in Deutschland. Rekrutierung und Integration*, Opladen: Leske + Budrich, 1997.

（ 5 ）Fritz Vilmar (Hrsg.), *Zehn Jahre Vereinigungspolitik. Kritische Bilanz und humane Alternativen*, Berlin: Trafo Verlag, 2000, S. 83.〔フリッツ・フィルマー（木戸衛一訳）『岐路に立つ統一ドイツ——果てしなき「東」の植民地化』（青木書店，2001 年），107 頁。〕

（ 6 ）Renate Mayntz (Hrsg.), *Aufbruch und Reform von oben. Ostdeutsche Universitäten im Transformationsprozeß*, Frankfurt/Main: Campus Verlag, 1994.

（ 7 ）Carlo Jordan, *Kaderschmiede Humboldt-Universität zu Berlin. Aufbegehren, Säuberungen und Militarisierung 1945-1989*, Berlin: Links (Forschungen zur DDR-Gesellschaft), 2001 参照。

（ 8 ）Friedhelm Neidhardt, „Konflikte und Balancen. Die Umwandlung der Humboldt-Universität zu Berlin 1990-1993“, Mayntz (Hrsg.), *Aufbruch und Reform von oben. Ostdeutsche Universitäten im Transformationsprozeß*, 1994, S. 33-60.

（ 9 ）Helmut Schelsky, *Einsamkeit und Freiheit. Idee und Gestalt der deutschen Universität und ihrer Reformen*, Reinbek bei Hamburg: Rowohlt Taschenbuch Verlag (Rowohlts deutsche Enzyklopädie), 1963.〔ヘルムート・シェルスキー（田中昭徳／阿部謹也／中川勇治訳）『大学の孤独と自由——ドイツの大学ならびにその改革の理念と形態』（未来社，1970 年）。〕

は，組織ならびに集団の再編と解体という帰結をもたらした。大学を去らねばならなかった東側出身者の多くは，知の発信者としての手段と経路を失うとともに，ドイツ統一の（もう一方の）当事者として研究対象にされることも少ない現状に陥ることにより不可視化されていったのである。

3 変動期における社会史と個人史 ──ライフヒストリー分析から

3.1　調査の概要と分析の枠組み

本研究では「不可視化されてしまった東側の経験」を追うにあたり，統計データ上の数字では把握しきれない，統一前後を通じた個別の生きた事例を収集すべくインタビュー調査を実施した。具体的には，ベルリン・フンボルト大学社会科学研究科（Institut für Sozialwissenschaften）を事例に，大学改革による一連の変化を直接体験した当事者を対象に聞き取り調査を行い，大学および研究者が経験した「ドイツ統一」を追った。統一当時，現在ある「社会科学研究科」の前身として社会科学領域の 2 部局──社会学研究科（Institut für Soziologie）と社会科学・政治学専攻（Fachbereich Sozial- und Politikwissenschaften）──が存在しており，講義要項[10]の名簿から，客員を除く計 75 名──社会学研究科 15 名，社会科学・政治学専攻 60 名──を本調査の母集団として設定した。インタビュー調査の実施時期は 2006 年 3 月，同年 11 ～ 12 月，2008 年 2 ～ 3 月，2009 年 2 月，2010 年 4 月，同年 10 月の計 6 回である。これまでに計 64 名（社会学研究科 14 ／ 15 名，社会科学・政治学専攻名 50 ／ 60 名）の連絡先が判明し，その内，計 42 名（社会学研究科 11 ／ 14 名，社会科学・政治学専攻名 31 ／ 50 名）とインタビュー調査を実施した[11]。大学改革に関わる微妙なテーマを扱うことは，ドイツ国内ではかえって調査がためらわれる側面があり，この種のテーマ（大学改革と旧東ドイツ社会科学者による経験）でインタビュー調査を

実施した前例はほとんどないことが分かった。

収集したライフヒストリー（一次資料）の分析にあたっては，変動期における社会史と個人史の関係を捉える上で，ハレーブンの研究[12]から複合的な要素を多く抱えるライフヒストリー群の分析に多元的歴史（multiple histories）の見地を取り入れるとともに，アンガーソンの研究[13]を参照して変動とエイジェンシー（agency）の観点を援用し，調査対象者らを「周囲の様々な環境や条件による制限・制約を受けつつも，その中で可能な選択肢の中から能動的な選択を行う主体（エイジェンシー）」として捉えることとした。さらに，対象者らのライフヒストリー分析では 3 つの時期区分[14]を設け，社会史と連動するそれぞれの時期のライフヒストリーにおいて，個人が人生の節目や転機に関わる決定をする局面へのエイジェンシー概念による分析を試みた。

3.2　「大学改革」後の進路と適応の戦略

「ドイツ統一」までの期間（第一期）に関しては，対象者らは同じ職業環境（ベルリン・フンボルト大学の社会科学領域）の中で同時期に同一の歴史的出来事を経験してきた人々の集団として捉えることが可能である。彼らは，DDR 時代にはいくぶんの発展的な社会移動のルートと緩やかな変化をともなう組織内で比較的類似のライフコースを展望していた。一方で，統一により旧 DDR の学界で生じた，西側システムへの急激な変換を凝集した出来事が「大学改革」と言えよう（第二期）。この時点まで，将来に安定した類似のライフコース像を描いてたであろう対象者グループにとって，大学改革はその後の職業キャリアや進路を大きく分かつ転換点として作用したのである。

社会科学者らの「大学改革」後の経験（第三期）を分析の俎上に載せられたことは，本研究最大の成果の一つと考えている。第三期の分析では，エイジェンシー概念の観点を取り入れつつ，対象者 43 名の大学改革後の進路に見る適応過程を「円満型」「降格型」「転職型」「転身型」「失意

---

(10) 調査立案のための基本資料として，1990/91 年冬学期（WS）の講義要項を用いた。ベルリン・フンボルト大学の講義要項は設立当初の 19 世紀より保存されているが，DDR 時代に限って要項自体が発行されなかった。そのため，現時点から遡って一番古い物が，ドイツ統一を目前に控えた 1990/91 年冬学期版の講義要項ということになる。

(11) 加えて，1 名から書面による回答を得た。そのため，ライフヒストリー分析の総数は 43 件となる。

(12) タマラ・K・ハレーブン（正岡寛司監訳）『家族時間と産業時間（新装版）』（早稲田大学出版部，2001 年）。〔Tamara K. Hareven, *Family Time and Industrial Time. The Relationship between the Family and Work in a New England Industrial Community*, Cambridge; New York: Cambridge University Press, 1982.〕ある特定の社会変動（産業革命）に際して，量的・質的な資料（特に多数の口述史）を総合的・有機的に結び付けた分析・検証に成功した先行研究である。

(13) クレア・アンガーソン（平岡公一／平岡佐智子訳）『ジェンダーと家族介護──政府の政策と個人の生活』（光生館，1999 年）。〔Clare Ungerson, *Policy Is Personal. Sex, Gender, and Informal Care*, London: Tavistock Publications, 1987.〕長期にわたるプロセスとして介護関係を読み解き，介護者側がどのような「エイジェンシー」を選び取った結果なのかを明快に描き出す。対象者の選択可能性とタイミングの問題に着目した分析に成功した先行研究である。

(14) 第一期：旧東ドイツ（DDR）時代から「変動期（Wende）」まで，第二期：「大学改革」期のプロセス，第三期：「大学改革」後から現在まで，というかたちで 3 つの時期区分を設けた。

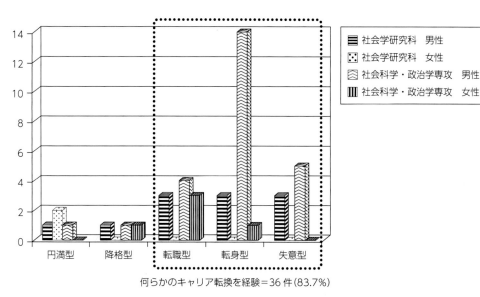

何らかのキャリア転換を経験＝36件(83.7%)

図1　類型ごとの出身・性別分布状況[17]

型」の5つに類型化した[15]。円満型は，大学改革以後も
そのままベルリン・フンボルト大学に残留することができ
た，いわゆる生き残りのグループとして捉えられ，4名が
該当した。降格型は，大学改革以後もそのままフンボルト
大学に残留することができたものの，何らかのかたちで実
質上の降格を経験したグループであり，3名が該当した。
転職型は，大学改革の後，どの時点でフンボルト大学を去
ることになったかにかかわらず，何らかの異動をともなう
ことにより研究職の継続を達成したグループであり，10
名が該当した。転身型は，大学改革の後，どの時点でフン
ボルト大学を去ることになったかにかかわらず，研究職以
外の職業キャリアを新たに選択し，他分野への転身を実現
したグループで，最大の18名が該当した。そして失意型
は，大学改革後，どの分野にもかかわらず，再び職業キャ
リアを確立できなかったグループで，あくまで研究職の継
続を志向し，それゆえの不遇を受容した人々であり，8名
が該当した。
　調査対象者である社会科学者らは，DDR時代には当時
の社会のあり方にうまく適応してきた人物であり，また，
自身が望むキャリア形成にも成功した人たちとして捉えら
れる。上記5類型の分析を別の角度から考えるならば，円
満型と降格型をのぞく3類型——転職型，転身型，失意型
——に該当する計36名（83.7%）が大学改革の後，何らか
のキャリア転換を迫られることになったという意味で，統

一後の大学改革が社会科学者らにもたらした影響の激甚さ
が見えてくるのである。ただ，とりわけ転身型のケースで
は，あえて研究職の継続以外の他分野に活路を見出し，解
雇（任期切れ）によらず，自ら進んで行われた積極的な
キャリア転換の事例[16]もあった点を補足するとともに，
大学改革の帰結が窮地をもたらしたとしても，必ずしもそ
れを悲劇と捉えるエイジェンシーばかりではなかったこと
——エイジェンシーの多様さが見受けられたこと——につ
いても確認したい。

3.3　大学改革を契機として対象者が直面した困難

　大学改革に関し，大学に残留できた者（円満型・降格型）
と大学を去らねばならなかった者（転職型・転身型・失意
型）との間で，調査対象者らの語りにはある差異が見られ
た。前者では，なぜ自身が残留できたかの明確な理由づけ
が行われていた一方で，後者では，大学改革における評価
（Evaluierung）の結果は所与のものとして突きつけられた
のであり，そこでの明暗要因は一様にブラック・ボックス
化したものとして語られていた点が特徴である。もっと
も，大学改革後に発足する西側由来の新たな大学システム
下，ベルリン・フンボルト大学における社会科学領域の下
位分野も一新されたこと——西側大学で普遍的な科目構成
が導入され，消えてしまった国家であるDDR内に限定し
て需要が認められた科目群は一刀両断に淘汰される結果と

---

(15) 対象者の個別事例については，表13-3（飯島「第13章『ドイツ統一』に関する東ドイツ社会科学者の経験——ベルリン・フンボ
　　ルト大学を事例としたインタビュー調査より」，310-315頁）を参照。
(16) 表13-3（飯島「第13章『ドイツ統一』に関する東ドイツ社会科学者の経験」，310-315頁）より，Dr. Schumann氏【Tn03-i】，Dr.
　　Türpe氏【Tn08-f】，Dr. Dästner氏【Tn15-f】，Dr. Thomsen氏【Tn17-f】の事例が該当する。
(17) 図-3（飯島「ドイツ統一と大学改革——ベルリン・フンボルト大学における2つの改革に関する社会学的考察」，73頁）を一部加工。

なった点——は明白な事実であり，その意味では，DDR社会の文脈に大きく準拠した学問領域——政治経済学，哲学（共産主義理論），歴史学（社会運動論），労働・産業社会学，青少年研究など——に携わる研究者は大学改革にともない，そもそも大学で応募すべきポストそのものを失うことになったのである。

　大学改革によりDDRの社会科学者らにもたらされた困難の事例として，専門研究領域のもつイデオロギー性，ライフ・ステージにおけるタイミング，DDR時代に負った政治性，「東」側であったことの功罪，DDR学界における出版（Publikation）文化の不在，DDR時代に獲得した学位の価値減衰などが挙げられる[18]。なかでも，DDRの大学教育を強力に支えた中間教職員（Mittelbau）[19]が直面した困難は大きく，大学改革後に発足した新たな部局内下位分野の再編では，人員配置される教授の人数と比較して中間スタッフ層は非常に強力にスリム化・削減された西側同様の人員構造へと劇的に転換されたため，中間教職員層にとって自身がDDR時代に築いてきたキャリアに相応するポストの絶対数が激減してしまうことを意味した。さらに，DDR時代の出版文化に関連して，当時，著書の出版はもっぱら高名な教授に限定されていたこと，そもそも出版機会が現在と比較するとかなり限られた状況にあったことから，大学改革後の新たな競争下では，DDR出身の中間教職員層の研究業績は西側出身者と比して目減りしたものとして評価される要因となった点も彼らの困難をより大きくした。また，DDR時代の学位や資格を西側システム内で適用すべく読み換える行程を経て，公的には西側と同等とみなされるべきところ，自身のそれが価値減衰したものとして事実上扱われる経験を語った対象者も複数いたのである。

　以上，本研究では，調査対象者43名のライフヒストリーを3つに時期区分して分析を行った。第一期：旧東ドイツ（DDR）時代から「変動期（Wende）」まででは，対象者らが安住するDDR社会特有の大学システムや研究者としてのキャリア形成の姿を演繹的に洗い出すことができたと考える。第二期：「大学改革」期のプロセスでは，大学改革により調査対象者らを職業集団として結ぶ共通項が解体され，彼らのその後の進路を大きく分かつ分岐点となった。ドイツ統一という社会変動により，新たな西側準拠の

大学システムが大学改革により不可避にもたらされ，対象者らは自らが依って立つDDR社会の文脈と価値観が（場合によっては）通用しない新規準の下，職業集団から引き離された個人レベルで審判を受けねばならなかった。本研究の調査では，第三期：「大学改革」後から現在までにおけるライフコースの事例を詳らかにした上で，大学で研究職の継続を達成した対象者——その意味では満足型・降格型に加え，転職型[20]も含まれる——も存在した一方で，研究職以外の別のキャリアを（望む望まぬにかかわらず）新たにスタートした者（転職型），あるいは，何らかのキャリアを更新できなかった者（失意型）を合わせて全体の60.5％（26名）にも達する点にはやはり刮目せねばならないだろう。

　本研究で対象にした社会科学者の事例は，DDR全体の中ではごく一部をなす学界という社会領域，さらには（旗艦大学という位置づけにはあれど）一大学の中の社会科学領域に限定された2部局に焦点を当てたもので，決してそのまま一般化して議論すればよいというものではない。しかし，本研究で示した社会科学者らのライフヒストリー分析には，ドイツ統一を経て消えてしまった国家——DDR側——で，既存の社会システムが転換することにより既得の社会規範や社会的価値が根底から覆るという社会変動の負の側面をかなりの強度で経験せねばならなかった人々に共通するエッセンスも間違いなく多く含まれているものと考える。それを踏まえ，本シンポジウムのテーマに沿って統一から30年を迎える今，東ドイツの長い影に通じる問題提起をしたい。

4 現代ドイツが抱える問題との架橋

4.1 残る「東西格差」の意識格差——文化的再生産の文脈から

　30周年を迎えたドイツ統一。それは，1990年のドイツ統一時に生まれた赤ん坊が30歳になることを意味している。つまり，現在30歳以下のドイツ人は，東西2つに分かれていたドイツをまったく知らないということであり，もし統一前の2つのドイツについて何らかの記憶をもつ者と想定するならば，30代半ば以降の人々に限定されると言い換えることもできよう。一方で，統一当時，社会科学

---

(18) 飯島「ドイツ統一後の『大学改革』と中間教職員が直面した困難——ベルリン・フンボルト大学における事例研究」，140-149頁参照。

(19) ドイツの大学における職で，教授を除く教職員の一団を指す。ベルリン・フンボルト大学では基本的に，いずれも博士号（Dissertation A）以上の取得者で，各学科（Sektion）では少数の教授の下，かなり裾野の広い人員構造を支える充実した教職員層を誇り，彼らには教育上の大きな裁量権が認められていた。たとえば，1990/91WS時点の社会学研究科には，2名の教授に対して13名もの中間教職員が在職していた。

(20) 表13-3（飯島「第13章『ドイツ統一』に関する東ドイツ社会科学者の経験」，310-315頁）より，転職型ではたとえば，国外（オーストリア）に活路を開いたD. K. S. 氏【Tk05-f】，隣接領域に専門分野をシフト（青少年の社会学→犯罪学）したW K 氏【Tk07-i】，西側システム準拠の新たな学位を取得したProf. Dr. Sch. 氏【Tk09-f】のように積極的な適応戦略をとる事例も見られた。

者としてのキャリアをすでにスタートさせていた本研究の調査対象者は，やや高齢なコーホート（1926〜61年生）に属し，彼らの経験もやや高齢な世代がもつものとして整理できる。すでに死亡者（未調査の6名に，調査を終えたProf. Unger氏）や退職者が相当数おり，この母集団を対象に一括調査を行うリミットは近い。彼らのようなドイツ統一時に現役の中核を担っていた世代がやがて引退していき，統一以前を知らない若い世代の割合が社会の中で徐々に増していくこと——人々の世代交代を待つこと——は，しかし，東西格差というテーマ認識の相違をめぐる問題の速やかかつ安易な解決にはつながらないと予測される。

本研究で現地調査を行っていた2000年代後半，何かの機会に調査研究の話をした西側出身の社会科学者の一人は「大学改革とその後」について，もはや終わったテーマだとコメントした。同時期に，インタビューのための最初のコンタクトを試みた対象者の一人からは，「あなたの博士論文のテーマにお祝いを言う」というメッセージが返信された。問題の当事者と非当事者の間の熱量の差は明らかであり，とりわけ自らの経験に基づいた社会認識における「東西格差」の意識格差をまず問題化せねばならないだろう。

文化的再生産[21]の見地より，たとえ統一をまったく知らない世代であっても，両親や祖父母，身近な親戚から統一当時の「東」からの経験を頻繁に耳にする環境で成長したならば，社会変動による激動を直接体験した者の言葉を大きく内面化することにより，いく分かたちを変えつつも統一後のドイツ社会への認識やDDR時代を基盤とする価値観一般なども継承され，再生産されていくことになる。他方，統一当時，ほぼ何の被害も影響も受ける経験をしなかった「西」側視点の大人世代がいる家庭で育ったならば，統一をまったく知らない世代はそのまま，統一はスムーズだったというイメージを引き継ぎ，そこに問題が存在すると認識すらしなかったり，「東」の人々が経験した困難も耳学問レベルの単なる知識として内面化されるに過ぎないだろう。その意味では，無策にただ世代更新を待つだけでは，「東西格差」の意識格差という問題は解消されえないと考えられる。

一昨年（2019）のドイツ統一をめぐるドイツ政府年次報告書における意識調査結果に関する報告のされ方の中にも，実は，危うさが感じられる箇所があった。本来，2つの当事者——西と東の双方——について相互のデータが積み上げられながら報告が進められなければならないところ，西側の状況は不問のまま，東側の不満に焦点を当てる記述[22]が登場する。曰く，東市民の57%が自身を2級市民と感じる。ドイツ統一は上手くいっていると評価するのは東の約38%，40歳以下では20%ほどである。東の半数たらずが民主主義の機能の仕方に不満である，と。そして，その原因としてDDRの終焉以来の激動期における困難や敗者としての経験が，東の特殊性として指摘される。このような一方の側の特殊性に帰結させる論法の背後には，特殊である相手を自らとは異なる，相容れない他者とみなす姿勢が潜む。統一状況が進展することを是とする報告書であるところ，東が特殊であることを持ち出し，相互理解に少なからぬ努力を要する他者という境界の線引きを強めるかたちで提示してしまうことは，むしろ悪手であろう[23]。

同報告書では，東西の不満のあり方の相違が近年の投票行動にも表れているとする[24]。2017年の連邦議会選挙では危険視される政党AfDの支持者がとりわけ東に多かった点が報道され[25]，既存政党への不信と不満が中道（民主主義）の弱体化と左右への二極化を招き，その受け皿としてAfDの得票が伸びたとされる。同じ東が蓄積した嘆きと不満が，Pegidaに代表されるイスラム系移民の排斥運動の原動力となっていると眉をひそめて語られるようになって久しい。そこでは，西や統合ドイツに対する東住民のルサンチマンがコノテーションとなっている。こうした東西の格差に関する認識差の連鎖を断ち切るためには，やはり東西双方からの歩み寄りと対話の姿勢を示すことが欠かせないだろう。東の仲間内でのみ自らを含む「東」側の経験——統一後の辛い体験や困難，不遇——を流通させ，「西」の人々にはその無理解・無関心を非難するばかりであった「東」の人々は，鏡のように「西」の人々を他者化していたとも言える。「東」の殻にこもるのではなく東西の境界を越え，むしろ「西」の人々に向けて積極的に自ら「東」の経験を発信していく実践を積み重ねていくことはいずれ大きな効果を生むに違いない。同じく，「東」の

(21) 宮島喬『文化的再生産の社会学——ブルデュー理論からの展開』（藤原書店，1994年）参照。
(22) Bundesministerium für Wirtschaft und Energie (BMWi) (Hrsg.), *Jahresbericht der Bundesregierung zum Stand der Deutschen Einheit 2019*, Fraunkfurt/Main: Druck- und Verlagshaus Zarbock GmbH & Co. KG, 2019, S. 13-14.
(23) その点，最新版報告書（2020）の意識調査に関するパート Bundesministerium für Wirtschaft und Energie (BMWi) (Hrsg.), *Jahresbericht der Bundesregierung zum Stand der Deutschen Einheit 2020*, Berlin: BMWi, 2020, S. 45-50 では，新旧連邦州のデータ推移を同等に提示しており，大きな配慮が感じられる。
(24) Ebenda, S. 13.
(25) Daria Widmann / Martina Schories / Oliver Das Gupta, „Bundestagswahl 2017. Von AfD-Hochburgen und welkenden SPD-Landschaften". In: *Süddeutsche Zeitung* (25. September 2017) 参照。

人々を理解の難しい特殊な背景を有する内なる他者とみなしていた「西」の人々には，発信された「東」の経験について真摯に耳を傾け，自分事として向き合い，異なる背景をもつ同胞として恒常的な関心のまなざしを向けていくことが求められるのではないだろうか。

4.2　ドイツ統一にどう向き合うか──新たな他者と，新たなアイデンティティの模索

　本来ならばヨーロッパ中から数千人のゲストを招く大規模な式典が開催されるところ，思わぬコロナ禍に襲われ，その感染対策により 230 人まで招待者を縮小し，記念すべき統一 30 周年の祝賀式典はブランデンブルク州のポツダムにて催行された[26]。コロナ禍の影響はやはり大きく，当初の期待とは異なり，30 周年という節目の機会にドイツ統一を総括する大きな機運は残念ながら見られなかったように思う。メディアでは，（東西かかわらず）ドイツ人 80％が平和革命はドイツ史上の僥倖であったと評価し[27]，10 名中 9 名のドイツ人が統一は（部分的に）上手く行っていると考えている[28] という明るいデータが再確認される一方で，西で 53％・東で 63％が東西ドイツ人は統一以来いく分か親しさの度合いを増してきたことに肯定している[29] というデータも確認され，この結果は，30 年という時間を経てなお統合ドイツに伸びる東ドイツの長い影を如実に表していると言えよう。

　東西ドイツ市民の間に横たわる問題認識の距離を埋めら

れぬままに，しかし近年は，世界情勢の急激な変化に統合ドイツは対応せざるをえなかった。2015 年来ヨーロッパに殺到する難民たちへ待ったなしで応対し続け忙殺されてしまうことは，残る東西の亀裂を深め，さらにその問題を不可視化してしまう帰結をも招きかねない。統一 30 周年という契機に際し，内部にいまだ残る東西格差意識の溝をドイツ国内で東西双方の市民が適切に認識し，きちんと対話を実践していくべき余地を統合ドイツはまだ多分に有していると言えよう。幸い，30 周年に際したシュタインマイアー大統領の演説には，統合ドイツが向き合うべき東ドイツの長い影をめぐる課題がバランスよく認識されているように思う。

　「オッシーたち（Ossis）」と「ヴェッシーたち（Wessis）」はいまだに存在するが，この区別づけはとうの昔にもはや重要でなくなった。東西が一体になることを通して，移住と統合を通して，ドイツは過去 30 年間に多様さと様々さを増してきたのだ[30]。

　東ドイツの長い影を抱きつつも，絶えず不可避にやってくる外からの新たな他者（移民・難民，社会の異分子たる他者，病原体）にどのような対応を取り，内なる他者を交えた統合という将来像をいかに模索するかの中に，今後の統合ドイツが新たに選び取ろうとするアイデンティティの姿も見えてくるだろう。

(26) ZDF, *heute.* (3. Oktober 2020)　https://www.zdf.de/nachrichten/heute-19-uhr/201003-heute-sendung-19-uhr-100.html（2020 年 11 月 18 日閲覧）

(27) Konrad-Adenauer-Stiftung, *Analysen & Argumente*, Nr. 376, 2019; Presse- und Informationsamt der Bundesregierung（Hrsg.）, *SCHWARZROTGOLD. Das Magazin der Bundesregierung*, Wedel: Krögers Buch- und Verlagsdruckerei GmbH, 2020, S. 14.

(28) *Forsa-Umfrage für das Bundespresseamt zum Mauerfalljubiläum 2019*; Presse- und Informationsamt der Bundesregierung（Hrsg.）, *SCHWARZROTGOLD*, S. 14.

(29) *Forsa-Umfrage für das Bundespresseamt zum Mauerfalljubiläum 2019*; Presse- und Informationsamt der Bundesregierung（Hrsg.）, *SCHWARZROTGOLD*, S. 15.

(30) „30 Jahre deutsche Einheit. Steinmeier regt Gedenkstätte für Friedliche Revolution an". In: *Welt*（3. Oktober 2020）より筆者訳。

シンポジウム

東ドイツ史と二重の「終わり」
—— 1990 年からの東ドイツ史研究動向を中心に

伊豆田俊輔

■ はじめに—— 30 年の歳月は東ドイツ史研究をいかに変えたのか

　本稿の課題は，1990 年から 2020 年の 30 年間で東ドイツ史研究がどのように変わり，どのような成果を挙げてきたのか，そして今後の東ドイツ史研究にいかなる可能性があるのかを論じることにある[1]。そこで本論では，第一に時間の経過という観点から東ドイツ史研究が置かれた状況を述べる。その後，研究を支える外在的な要因の変化を論じ，研究動向の変化を確認する。次いで東ドイツ史の終わりを意味する 1990 年に着目し，これがドイツ近現代史で有する重要性を説明する。その上で，1990 年という「終わり」の年の特権的な位置もまた「終わり」を迎えていることを論じる。これを踏まえて最後に，新しい東ドイツ史叙述の可能性を検討したい。

1 東ドイツ史研究の 30 年間

1.1　1990 年から 2020 年へ——連邦共和国史と東ドイツ史

　1990 年からの 30 年という歳月は東ドイツ史研究にどのような変化をもたらしたのだろうか。まずはこの長さがドイツ戦後史全体にどのような影響を持つようになったのか考えてみよう。その第一に挙げられるのが，戦後ドイツ史の構成の変化である。第二次世界大戦後，ドイツが東西に分断されていた状態はおよそ 40 年続いた。これに対して 2020 年の現在，統一ドイツも 30 年の歴史を持っている。さらに今から 10 年後の 2030 年以降になると，東西分断時代よりも統一ドイツの方が長く続くことになる。かつて，

戦後ドイツ史とは分断された二つのドイツの歴史であり，1990 年の東西ドイツ統一とはその終点だった。しかし，このような叙述は過去のものになり，統一ドイツも歴史学研究の対象になり始めている[2]。第二に，連邦共和国の持続性が際立ってきたことが挙げられる。2020 年の段階で連邦共和国は 71 年の歴史を有している。すでに連邦共和国は 19 世紀と 20 世紀に生まれたドイツのどの政治体制よりも長く続いているのだが，さらに 2023 年に連邦共和国の歴史は 74 年になり，ドイツ帝国とヴァイマール共和国とナチ・ドイツを合計した期間より長くなる。戦後史という区切りで見れば統一ドイツが，そしてドイツ近現代史のなかでは連邦共和国の重みが増してきたと言えるだろう。こうした傾向の中では，東ドイツ史への関心が低落していくことが懸念される。それゆえに東ドイツ史研究は，戦後史の中で，あるいは近現代史の中でいかなる役割を果たすことができるのかについて，再度検討する必要に迫られているのである。

1.2　東ドイツ史研究の基盤の変容

　そこで以下では，東ドイツ史研究を取り巻く環境の変化を瞥見する。東西統一直後，東ドイツ史研究には特別な役割が与えられた。それは，かつての「不法国家（Unrechtsstaat）」の暗部を剔抉し，その被害者のために真相を究明するという使命である。統一ドイツにおいては政治的反対派の迫害や司法犯罪，シュタージの犯罪などが裁かれ，同時に被害者の名誉回復が進められた。旧東ドイツ国家の犯罪を追及し，その過去を克服することが，統一ドイツの政治的アイデンティティ形成に資すると期待されていたためだ[3]。そしてこうした特別な要請を背景に，東ドイツ史研

（1）本稿ではソ連占領地区とドイツ民主共和国を「東ドイツ」，あるいは「東独」と表記する。ドイツ連邦共和国は，原則として 1945 年から 1990 年までを「西ドイツ」，それ以降を「統一ドイツ」と記す。しかし，西ドイツも統一ドイツも同じ政体であることを明示する場合，「連邦共和国」と表している。

（2）その一例として，ドイツ社会主義統一党（SED）の後継政党として出発した民主社会党（PDS）について，歴史学者によるモノグラフが上梓されていることが挙げられる。Thorsten Holzhauser, *Die "Nachfolgepartei". Die Integration der PDS in das politische System der Bundesrepublik Deutschland 1990-2005*, Berlin: De Gruyter Oldenbourg, 2019.

（3）東ドイツの不法行為に対する司法の取り組みについては，福永美和子「統一ドイツにおける東ドイツ独裁の過去と検証」石田勇治／福永美和子編『現代ドイツへの視座——歴史学的アプローチ 1 ——想起の文化とグローバル市民社会』（勉誠出版，2016 年），57-83 頁を参照。

究には集中的な支援が行われた。連邦や州レベルの諸団体（例えばポツダム現代史研究センター[4]や新連邦州における州政治教育センター）や民間の財団（例えばフォルクスワーゲン財団）などが東ドイツ史研究を後押しした。さらに研究者は1990年までの文書館史料を閲覧制限（いわゆる「30年ルール」）なしに読むことができた。政治的なアクチュアリティ，研究支援，史料の豊富さと開放性が1990年代から2000年代にかけて東ドイツ史研究を特別な領域として発展させていったのである[5]。

しかし2000年代には旧東ドイツが政治的に「熱い」テーマでなくなるとともに，それまで期限付きで行われていた研究支援が相次いで終了することになった[6]。加えて2020年になると，東独以外の国で閲覧禁止だった史料の多くが，原則的には1990年まで読めるようになった。2020年までに東ドイツ研究は，政治的経済的な支援がひと段落し，さらに史料の特別さが失われることで，「ふつうの」歴史学の一領域になりつつある。

1.3　研究動向の変容と今後の課題

それではこの30年間，東ドイツ史研究の内容はどのように変化してきたのだろうか。以下では関心の変化と，研究対象となる時期の偏りについて見てみたい[7]。まず1990年代前半に世間の耳目を集め，多くの人的資源が投入されたのが抑圧機構の研究である。その中でも特にベル

リンの壁を含めた東西ドイツ国境での暴力，SEDが一党独裁を確立する過程，50年代の粛清，民衆反乱（6月17日事件），シュタージなどが集中的に研究されることになった。政治史や抑圧機構は現在でも研究者の関心を引き続けている[8]。しかし，国家・社会の歴史をもっぱら抑圧によって説明しようとする政治史中心の東ドイツ像があまりに一面的であると，社会史研究者たちが批判するようになった。こうして1990年代後半から社会史や日常史の研究が盛んになった。そこには東ドイツ国家の存続を支えた「ハード」な要因だけでなく，体制統合のためのより「ソフト」な要因を明らかにしようという意図があった。さらに2000年代以降は日常の中に潜む政治的なものとその主体の関係を対象にしたミクロ・ヒストリーへの関心が高まってきている。30年間で東ドイツ史研究は歴史学研究の一分野として確立され，同時に専門分化を深めていった。

この過程を研究対象の時期という点から見てみよう。例えば，一党独裁や抑圧機構の実態を明らかにしようとする研究では，40年代末から50年代に叙述の重点が置かれやすい[9]。対して社会史を研究する場合には60-70年代に関心が集まりやすいという傾向があった。さらに2010年代後半から2020年にかけては，一次史料を使った80年代の社会史研究も現れるようになった[10]。結果として，40年代後半から50年代における統治機構の完成と反対派の排

（4）2019年よりライプニッツ・ポツダム現代史研究センターに改称。

（5）1990年代の東ドイツ研究への支援については，Dierk Hoffmann / Michael Schwarz / Hermann Wentker, „Die DDR als Chance. Desiderate und Perspektiven künftiger Forschung", Ulrich Mählert (Hrsg.), *Die DDR als Chance. Neue Perspektiven auf ein altes Thema*, Berlin: Metropol, 2016, S. 23-70, 特にS.64-65を参照。また東ドイツにおける公文書の管理と公開については，伊豆田俊輔「東ドイツ『公文書』の現在」『歴史学研究』985号（2019年），22-35頁も参照されたい。

（6）メーラートは，東ドイツ史研究「ブーム」は1990年代末から2000年代初頭にかけて終わったと指摘している。Ulrich Mählert, „Totgesagte leben länger. Oder: Konjunkturen der DDR-Forschung vor und nach 1990", ders. (Hrsg.), *Die DDR als Chance*, S. 9-22. 特にS. 13. また，東独史研究のポストの多くは，研究所や財団という大学の外側に用意されるという特徴があった。そのため，任期の定めのない大学の講座及び正教授ポストにおいて東ドイツ史研究者は地位を確保できず，このことが期限付きの支援が無くなった後の研究をさらに難しいものにした。参照，Hoffmann / Schwarz / Wentker, „Die DDR als Chance", S. 64-65.

（7）以下，研究動向にかんしては，Ebenda, S. 23-70; Stefanie Einsenhuth / Hanno Hochmuth / Konrad H. Jarausch „Alles andere als ausgeforscht. Aktuelle Erweiterungen der DDR-Forschung", *Deutschland Archiv*, 11.1. 2016, https://www.bpb.de/geschichte/zeitgeschichte/deutschlandarchiv/218370/allesandereals ausgeforschttaktuelleerweiterungender（最終アクセス2020年9月26日）を参照。なお本節では，個別の研究については，2019年以降に出てきたものを補足する以外，最小限に留める。詳細については伊豆田俊輔「書評・川越修・河合信晴編『歴史としての社会主義——東ドイツの経験——』」『経済史研究』22号（2019年），145-158頁 https://www.jstage.jst.go.jp/article/keizaishikenkyu/22/0/22_JS022010_pdf/-char/ja（最終アクセス2020年9月26日）も参照されたい。

（8）日本でも東独の抑圧機構への関心は続いている。例えば，2010年代終わりから2020年にかけて，西川洋一は東ドイツの司法を対象とした研究を発表している。西川は東ドイツ建国前後の州と国家の憲法を検討しながら，SEDが司法を道具化していった過程を論じている。西川洋一「初期ドイツ民主共和国における『司法の民主化』とは何だったのか」(1)，『国家学会雑誌』132（11・12）（2019年），945-1015頁；同 (2)『国家学会雑誌』133（1・2）（2020年），1-68頁。

（9）例えば政治史を中心にした記述のUlrich Mählert, *Kleine Geschichte der DDR*, 6. Auflage, München: C. H. Beck, 2009〔ウルリヒ・メーラート（伊豆田俊輔訳）『東ドイツ史1945-1990』（白水社，2019年）〕では，1945-49年に44頁，50年代に41頁，60年代に15頁，70年代に18頁を割いている。80年代では89年の革命までを扱うため，再び記述が長くなる。全体として，支配機構が構築される時期に，次いでその解体に多くの説明が費やされる。相対的に「平穏」な時代の叙述が少ないという傾向が分かる。

（10）2010年代まで80年代研究はドイツでも日本でも手薄であった。参照，Einsenhuth/ Hochmuth / Jarausch, „Alles andere als ausgeforscht". 日本で80年代の東ドイツ社会を扱った新しい論文として，例えば藤原星汰「1980年代東ドイツにおける大気汚染と住民の健康問題」『史学研究』第305号（2020年），248-264頁が挙げられる。

除，60年代以降の社会政策を始めとした「ソフト」な体制維持とその限界，80年代における体制のほころびと機能不全の実態が次第に明らかになった。これにより，今までは歴史研究とはやや距離を置いて進められてきた1989年の「平和革命」の研究成果と，東ドイツ史の叙述を接合できる段階に来たように思われる。つまり1945年から1990年の全ての時期に，一通り研究者の注目があたるようになったとも言える[11]。それゆえ，今後の大きな課題は，2020年までの研究成果を取り入れた新しい通史がどのようなものになるのかを検討することにある[12]。これと同時に，1.1で述べたように「なぜ連邦共和国でなく東ドイツ史を研究するのか」という問いが前面に現れるようになった。これまでの研究の空隙を埋めるだけでは，研究する意義が認められなくなりつつある[13]。そのため，どのような文脈や枠組みで東ドイツの歴史を検討すると，いかなる教訓や知見が得られるのかについて，試行錯誤が求められていると言えよう。

2 二重の「終わり」── 1990年という終わりとその特別性の終わり

2.1 1990年という画期

それでは，いかなる東ドイツ史の叙述であれば我々の認識を豊かにしてくれるのであろうか。本章ではこれに答えるため，ドイツ近現代史上における重要な時代区分であった1990年の位置づけの変化を二重の「終わり」として捉え，これが東ドイツ史叙述に与える影響を論じる。

近現代ドイツ史を記述する上で，1990年には特権的な

「終わり」としての地位が与えられていた。国家としての東ドイツの歴史は1990年で終わり，当然ながら東ドイツ史記述もこの年で終わることが多い。さらに1990年という年はドイツ近現代史の中でも最後の重要な区切り，あるいは「大団円」として機能していた。ドイツ近現代史を描いた代表的通史であるヴィンクラーの『西への長い道〔邦題『自由と統一への長い道』〕』では，1990年が「消尽点」として設定されている[14]。またヴェーラーの『社会構造史』も，最終巻が1990年を以って完結している[15]。ナチズムないしホロコーストという破局から出発し，連邦共和国におけるリベラル・デモクラシーの定着と国民国家の完成に向かう叙述，つまり西ドイツの「成功史」のなかで，1990年は「ゴール」として特権化されていたのである[16]。

2.2 1990年の二重の「終わり」と東独史への影響

しかし，この1990年の特権的な位置は終わりを迎えつつある。1989年から90年にかけての東ドイツでの体制転換と東西ドイツ統一の過程は，その後のドイツ社会や欧州国際関係を説明するための「始まり」や「形成期」として語られるようになってきたためである[17]。加えて，統一後のドイツでは，かつての東ドイツについての想起や「郷愁」（オスタルギー）が議論されるようになった[18]。こうした議論は，統一後の人びとが抱える不満や痛みの表出として理解すべき問題である[19]。つまり，統一後の問題に人々が関心を持ち，それを説明するために1990年を出発点として考察するようになったことで，1990年の「終わり」としての画期の特別さも終わりつつあるのだ。

それでは，こうした変化は東ドイツの歴史記述にいかな

---

(11) ただし，東ドイツが「研究され尽くして」，フロンティアが消滅したと考えるのは早計である。たとえばSEDの実質的な最高意思決定機関である政治局の研究は，1950年代までにかんしては詳細なものがある一方で，60年代以降になると研究が手薄になっている。また，国家と党の中枢を担った人物の伝記研究が乏しいことも指摘されている。参照，Hoffmann / Schwarz / Wentker, „Die DDR als Chance", S.56-57; Einsenhuth / Hochmuth / Jarausch, „Alles andere als ausgeforscht".

(12) 日本では新しい通史として河合信晴『物語 東ドイツの歴史──分断国家の挑戦と挫折』（中央公論新社，2020年）が刊行される。しかし原稿執筆段階（2020年9月末）では入手できなかった。

(13) ただし，英語圏や日本のように外国史として東ドイツを研究する場合，なぜその時代と地域を研究するのかを正当化することは，当然ながら常に必要とされてきた。

(14) Heinrich August Winkler, *Der lange Weg nach Westen. Deutsche Geschichte I & II*, München: C. H. Beck, 2000.〔H・A・ヴィンクラー（後藤俊明／奥田隆男／中谷毅／野田昇吾訳）『自由と統一への長い道──ドイツ近現代史』I, II,（名古屋大学出版会，2008年）〕

(15) Hans-Ulrich Wehler, *Deutsche Gesellschaftsgeschichte Bd. 5: Von der Gründung der beiden deutschen Staaten bis zur Vereinigung 1949-1990*, Bonn: Bundeszentrale für politische Bildung, 2010.

(16) しかしその後，連邦共和国史研究の中でも既存のマスターナラティブへの批判的視点が重視されるようになってきた。例えば，ヴィンクラーの「西への長い道」を「到着史」の一種と述べてその相対化を図ったヴォルフルムや，連邦共和国の歴史を「成功史」にすることへの批判的視座を有するコンツェを挙げることができる。参照，Edgar Wolfrum, *Die geglückte Demokratie. Geschichte der Bundesrepublik Deutschland von ihren Anfängen bis zur Gegenwart*, Stuttgart: Klett-Cotta, 2006; Eckert Conze, *Die Suche nach Sicherheit. Eine Geschichte der Bundesrepublik Deutschland von 1949 bis in die Gegenwart*, München: Siedler Verlag, 2009.

(17) 板橋拓己「ドイツ統一交渉と冷戦後欧州安全保障秩序の端緒──NATO不拡大をめぐる西ドイツ外交」『国際関係』200号（2020年），67-83頁，とくに67頁を参照。

(18) 統一後のドイツにおける東ドイツの記憶にかんしては，Martin Sabrow, „Die DDR erinnern", ders. (Hrsg.), *Erinnerungsorte der DDR*, München: C. H. Beck, 2009, S. 11-27の概説を参照。

(19) 例えばコヴァルチュクは，統一後の東ドイツへの郷愁が過去とは本質的に関係がなく，「現在への不満と未来への希望が持てないことの表出」だと述べている。参照，Ilko-Sascha Kowalczuk, *Die 101 wichtigsten Fragen. DDR*, München: C. H. Beck, 2009, S. 154.

る影響を与えているのであろうか。ここで注目できるのは，戦後史の1945年から1990年という区切りそのものが，改めて相対化されていることである。つまり，先述のマスターナラティブを解体することはなくとも，そこから自由な記述が生まれてきている[20]。例えば2014年に刊行されたヘルベルトの『20世紀ドイツ史』では，1990年の区切りが，オイルショックとその後の自由主義的な転換点としての1973年の区切りよりも下位の区分になっている[21]。

時代区分についてさらに踏み込んだ提言を行っているのがクロイツベルガーとゲッパート，ホフマンである。彼らは東西分断時代の歴史解釈を必ずしも1945年から始めて90年を終わりにしなくても良いと主張する。すなわち，第二次世界大戦後のいわゆる「零時」から始めて現在の問題につながる点を指摘して終えることに囚われない解釈が，私たちの認識を豊かにするという指摘である[22]。これを東ドイツ史の叙述に当てはめると，第二次世界大戦の終わりとドイツの分断から始めて平和革命と統一で必ずしも終わる必要はないということであろう。さらに言えば，1945-49年のソ連占領地区の時代と1949-1990年のドイツ民主共和国の時代と地域を足したものだけではなく，他の地域や時代や国家といかに接合させることができるか，これによっていかなる知見が得られるのかが問われていると言えよう。

3　新しい東ドイツ史叙述を求めて

そこで本章では，現在生まれつつある新しい東ドイツ史記述の試みを紹介する。第一に，1945-90年の東ドイツ史

を空間的，時間的に超えた大きな枠組みを構築する試みを挙げる。第二に，1945-1990年という枠組みを特に時間的に「ずらす」方法を紹介し，今後の東ドイツ史の可能性を考えたい。

3.1　1945-1990年・東ドイツを「超える」

3.1.1　地理的な拡大——ソ連帝国の外縁・「流血地帯」としての東ドイツ

第一に挙げられるのは，東ドイツをより広範な地域の中で捉える研究である[23]。近年の重要なものとしては，コメコンとソ連のエネルギー政策の関係から，東ドイツ経済の実態を明らかにしている藤澤の研究が挙げられる[24]。

政治的大量殺戮が行われた空間（＝「流血地帯」）を設定するスナイダーの研究も新しい枠組みの一つとして理解されうる[25]。スナイダーの議論はスターリンが支配するソ連とヒトラーが支配するナチ・ドイツ，および両国が占領した地域と時代が中心である。しかしながら，東ドイツを含む戦後東欧の民族的な再編成や共産主義者たちの権力掌握までを論じた部分は，東ドイツの史的起源を理解するために役立つ[26]。

3.1.2　時間的な拡大——グローバル化・1970-80年代は新たな切れ目になるのか

続いて，叙述の起点と終点を広げ，より長い時間の中で東独史を検討できる文脈を考えてみたい。近年の冷戦史研究では，人権概念の普及や脱植民地化，環境問題，経済のグローバル化など，米ソの地政学的対立としての冷戦に収まらない現象への関心が集まっている[27]。さらに入江はよりラディカルに，地政学的対立としての冷戦を特権化することが冷戦を正しく歴史化することにはならないと主張

---

(20) 註16を参照。またこの背景には西ドイツにおける歴史家の世代交代がある。白川耕一「歴史家の世代とドイツ連邦共和国の歴史像—— 1950年代から現在まで（特集・シンポジウム戦後の歴史と歴史学）」『メトロポリタン史学』11号（2015年），29-50頁; Frank Bess / Astrid M. Eckert, "Why Do We Need New Narratives for the History of the Federal Republic?", *Central European History* 52, 2019, pp. 1-18 も参照。

(21) ただしヘルベルトは1890年から1990年までを「盛期近代（Hochmoderne）」として一つのまとまりある時期であると論じているため，1990年の意義は完全には減じられていない。Ulrich Herbert, *Geschichte Deutschlands im 20. Jahrhundert*, München: C. H. Beck, 2014, S. 19.

(22) Stefan Creuzberger / Dominik Geppert / Dierk Hoffmann, "How to Write the History of a Divided Nation: Germany, 1945-1990", *German Historical Institute London Bulletin*, Vol.41, 2019, pp. 3-18，特に p. 14 を参照。

(23) ただし，既に1980年代からクレスマンが東西ドイツの歴史を「二重の建国」として捉える視角を打ち出していたことは見逃せない。Christoph Kleßmann, *Die doppelte Staatsgründung. Deutsche Geschichte 1945-1955*, 5. überarbeitete und erweiterte Auflage, Göttingen: Vandenhoeck & Ruprecht, 1991.〔クリストフ・クレスマン（石田勇治／木戸衛一訳）『戦後ドイツ史 1945-1955 ——二重の建国』（未來社，1995年）〕

(24) 藤澤潤『ソ連のコメコン政策と冷戦——エネルギー資源問題とグローバル化』（東京大学出版会，2019年）。

(25) ティモシー・スナイダー（布施由紀子訳）『ブラッドランド——ヒトラーとスターリン大虐殺の真実』（上）（下）（筑摩書房，2015年）。

(26) こうした傾向に連なるものとして，戦争末期から戦後初期（1944-1956年）の東欧圏と東独における共産主義支配を描いたアプルボームの研究も挙げることができる，アン・アプルボーム（山崎博康訳）『鉄のカーテン——東欧の壊滅 1944-1956』（上）（下）（白水社，2019年）。本書は史料やインタビューの利用の点で新しい成果を取り入れているが，そのテーゼは冷戦期の西側における反ソ連的な「全体主義論」に留まっているように思われる。

(27) 益田実「新しい冷戦認識を求めて——多元主義的な冷戦史の可能性」益田実／池田亮／青野利彦／齋藤嘉臣編『冷戦史を問い直す——「冷戦」と「非冷戦」の境界』（ミネルヴァ書房，2015年），1-24頁。

する。そして，むしろ人権理念や経済のグローバルでトランスナショナルな発展を説明し，その「脚注」として冷戦を歴史化することの必要性を説いている[28]。

こうした視角を東ドイツ史研究に援用すると，人権運動が力を増していく過程や，人間と自然の関係という視点から見た環境汚染問題が，グローバルで長期的なトレンドを取り入れた「東ドイツ史」の重要なテーマとなるだろう[29]。これに加えて，川越の「社会国家」と東ドイツの関係を問う研究もこうした長期的な視野を有している[30]。

さらに時代区分論として興味深いのが，小野沢による「現代」と「同時代」の画期をめぐる論考である[31]。小野沢は経済的グローバリゼーションと新自由主義に着目することで，1970-80年代を過渡期としつつ，その前後で世界の歴史を「現代」と「同時代」に分ける可能性を議論している。ここでの「現代」とは「近代」の後に続く一つの時代であり，対して「同時代」とは今の私たちが属する時代である。そしてこの両者の分水嶺になるのが1970年代から80年代にかけて新自由主義が広がったことであるとされる。小野沢によれば，新自由主義とは一般に言われている市場経済至上主義に加え，個人の自由を経済的領域に限定し，民主主義を空洞化させる契機を内包する「非啓蒙的」な本質を持つ運動である。これに対置されているのが，啓蒙主義が普遍的なイデオロギーとして人類を動かしていた時代である。そして冷戦期はこの時代の最後に位置する。冷戦期に対立していた東西陣営はともに経済における介入主義的傾向と（特に1930年代から進んだ）「大きな国家」を支持する啓蒙主義的な普遍主義に連なるとされる。もちろん，社会主義国家の東ドイツが1989／90年の崩壊まで「大きな国家（政府）」を目指していたことは明らか

で，一見するとこの時代区分は東ドイツ史には適さない。それにもかかわらず，1970-80年代を画期とする時代区分も一程度の合理性を持つと考えることができる。そのための事例を挙げてみよう。例えば，1980年代初頭の東ドイツは財政的には既に破綻の淵にあった。それまでの西側からの孤立や敵対の時期とは異なり，カネやエネルギーのグローバルな動きに振り回されていたのである[32]。また「大きな国家」である東ドイツ政府は，本来であれば住民の福祉健康問題に関して「国民の健康を丸抱えする」理念を有していた。しかし1980年代になると，深刻な財政危機によってこの理念が現実と決定的に乖離していく[33]。「大きな国家」としての理念が正面から受け止められ，その実行が目指されていた1960年代までの時代と，1980年代の間には大きな懸隔が生まれているように思われるのである。「大きな国家」の理念が新自由主義と経済のグローバル化によって解体されていく過程に注目すると，東ドイツ史でも1970-80年代が一つの画期になりえるだろう[34]。

3.2　1945-1990・東ドイツを「ずらす」
3.2.1　戦時から平時への転換——グローバルな連関を問う

時代や地域を拡大し，1945-1990年の東ドイツ史を全て包括するものだけではなく，1945年以前に始まり1990年よりも前に終点を置く枠組みも考えられる。そもそも東ドイツは第二次大戦の戦後処理のなかで生まれた国家である。それゆえ，戦争末期に何がドイツ・東欧・ソ連で引き起こされたのかを理解することなしに，東ドイツ国家の誕生を説明することはできない[35]。

こうした課題に答えた例として，足立の農村史研究を挙

(28) Akira Irie, "Historicizing the Cold War", Richard H. Immerman / Petra Goedde, (eds.), *The Oxford Handbook of the Cold War*, Oxford: Oxford University Press, 2013, pp.15-31. 入江論文については，小阪裕城氏より教授いただいた。

(29) 例えば兵役拒否者の権利の歴史を扱った市川の研究は，グローバルな人権理念の普及と東ドイツ社会の動きを部分的に結び付け得るものである。市川ひろみ「東ドイツ『平和革命』と教会——建設兵士の活動を中心に」川越修／河合信晴編『歴史としての社会主義——東ドイツの経験』（ナカニシヤ出版，2016年）166-192頁。さらに，註10の藤原が扱った大気汚染の問題群は，住民の健康の回復，自然環境の改善までを視野に入れて叙述されるのであれば，おそらくは統一後のドイツまでを論じることになるだろう。さらに自然と人間の長期的な関係という観点から，原子力のごみ処分場の歴史を東ドイツ時代にさかのぼりながら統一ドイツまでを論じる岡村の論文が挙げられる。本論は，東ドイツの体制が放射性物質の最終処分場の設立について，それなりに合理的に「機能」していたことを明らかにするもので，西ドイツの成功史観とは一線を画した，より複雑でニュアンスのある東西比較にもなっている。岡村りら「旧東ドイツにおける原子力・放射性廃棄物に関する議論の考察——モアスレーベン放射性廃棄物処分場の視察報告も含めて」『環境共生研究』8号（2015年），25-38頁。

(30) 川越修「歴史としての東ドイツ」川越／河合編『歴史としての社会主義』，5-11頁。

(31) 小野沢透「『同時代』と歴史的時代としての『現代』」『思想』1149号（2020年），91-114頁。

(32) 1981年にはソ連からの石油供給が減らされ，1982年には国際金融市場における東側ブロックの支払能力の低下が東ドイツ経済を破綻の際まで追い詰めていた。さらにこの危機は西ドイツからの借款で乗り切られている。メーラート『東ドイツ史』，第5章。また藤澤はこの時期のソ連・東独の石油取引が「西側との経済関係の従属変数」になっていたとする。藤澤『ソ連のコメコン政策と冷戦』，237頁。

(33) 藤原，「1980年代東ドイツにおける大気汚染と住民の健康問題」，255頁。

(34) なお，小野沢は「大きな国家」と新自由主義を対比して1930-1970/80を短い「現代」とする可能性以外にも，啓蒙主義が普遍的なイデオロギーとして力を持った時代として，（ホブズボームに倣い）「二重革命」の時代から1970年代を「長い近代」，1970-1980年代を過渡期，1990年以降を「現代」とする図式を最終的に提示している。

(35) ただし，こうした時間設定は完全に新しいものではない。戦争末期から戦後を連続した社会史として理解しようとした先駆的な研究

げることができる。足立は東ドイツの農村を「戦時から戦後への歴史的連続性のなかで」[36]で論じようとしている。このために着目するのは，第二次大戦で発生した難民（いわゆる「被追放民」）と，この難民が東ドイツで農民として再定住する過程である。避難民の多くは，かつてのドイツ東部領で農場を経営した経験を持っていた。戦後，彼らは東ドイツにおける土地改革によって農地を与えられ，新たな農村を創り出した。さらに新農民は50年代に東ドイツの農業が集団化するための担い手にもなった。こうして見ると，東独農村の淵源と社会主義化の実相がグローバルな人の移動と戦争処理の在り方を通じてはじめて理解できることが分かる[37]。さらに足立は「戦争と国境変更を伴う戦時から戦後の時期が，強制移住と農業改革の時代であったことは東欧地域に限定されるものではない」[38]として比較の可能性を開く。

　記述の起点を明示的に1945年よりも以前に置き，比較の視座を入れながら「被追放民」を扱うのが川喜田の研究である[39]。川喜田は戦後の東西ドイツに流入した「被追放民」の歴史を，前史（戦間期），計画と実行（第二次世界大戦中・直後），統合（戦後）という長い射程で論じている。加えて本書はこの「被追放民」の統合過程を東西ドイツで比較するという視座も有している。東西ドイツいずれの国家においても戦後復興の中で「被追放民」の就労機会の不足は解消され経済的統合が進められた。他方東ドイツでは，新たに定住したはずの人々が西へと再移住する傾向が顕著であり，戦後の東独社会がきわめて高い流動性の中で作られたことが分かる。さらに川喜田らは住民強制移動について比較研究の論集を編んでいる[40]。この論集においては，20世紀の紛争の中で，同質性の高い国民国家とい

う理念がヨーロッパおよびアジア太平洋世界で解決策として選択される過程が明らかにされている。こうして叙述の起点を1945年より前に遡らせ，50年代までで区切ることにより，東ドイツの歴史的起源や暴力の連続性，社会の構成や国民国家性などを比較や連関の中で捉えることができるのである。

3.2.2　世代論・ライフヒストリーから見る区切り──ナチ時代からの連続性を問う

　「世代」をキーワードにすることで，さらにまた別の時代設定を行うことも可能である。2000年以降の東ドイツ研究では世代に着目した研究が生まれている。東ドイツのコーホート（生まれた年を同じくする集団）としての世代に着目し，歴史学研究の分野で先駆的な役割を果たしたのがヴィーリングである。彼女は東ドイツ建国前後に生まれた集団を扱っている。1949年生まれは「新世代」として権力から過大な希望を託された。しかし1960年代後半に青年となった彼らは，西側の思想に影響を受けているとして，社会の厄介者のように扱われるようになった。最終的に1949年生まれの一部は公式の社会主義理念から逸脱し，反対派などになる。こうしてヴィーリングは東独国家の未来をかけた教育プロジェクトの核心とその失敗を実証した[41]。

　そして世代論を20世紀ドイツ史という枠組みで展開したのがフルブルックの研究である[42]。彼女はとくに1929年生まれのコーホートに着目している[43]。彼らは人口比で見ても絶対数で見ても目立つ形で東独国家を支える中堅幹部を輩出している[44]。1929年生まれの者たちは1945時点で15から16歳である[45]。彼らは戦争末期に強烈な暴力を受動的に経験し，敗戦によって幼年期までの価値観の

として，ブロシャートらの論文集『スターリングラードから通貨改革まで』を挙げることができる。Martin Broszat / Klaus-Dietmar Henke / Hans Woller, *Von Stalingrad zur Währungsreform. Zur Sozialgeschichte des Umbruchs in Deutschland*, 2. Auflage, München: R. Oldenbourg, 1989.

(36) 足立芳宏「農村の社会主義体験──土地改革から農業集団化へ（1945-1960）」川越／河合編『歴史としての社会主義』，31-65頁，引用は34頁。

(37) またこのプロセスにかんしては，足立芳宏『東ドイツ農村の社会史──『社会主義』経験の歴史化のために』（京都大学学術出版会，2011年）も参照。

(38) 足立，「農村の社会主義体験」，62頁。

(39) 川喜田敦子『東欧からのドイツ人の「追放」── 20世紀の住民移動の歴史の中で』（白水社，2019年）。

(40) 川喜田敦子「第二次世界大戦後の人口移動──連合国の構想にみるヨーロッパとアジアの連関」蘭信三／川喜田敦子／松浦雄介編『引揚・追放・残留──戦後国際民族移動の比較研究』（名古屋大学出版会，2019年），74-97頁。

(41) Dorothee Wierling, „Erzieher und Erzogene. Zu Generationenprofilen in der DDR der 60er Jahre", Axel Schildt, Detlef Siegfried, Karl Christian Lammers (Hrsg.), *Dynamische Zeiten. Die 60er Jahre in den beiden deutschen Gesellschaften*, Hamburg: Hans Christians Verlag, 2000, S. 624-641; Dorothee Wierling, *Geboren im Jahr Eins. Der Jahrgang 1949 in der DDR. Versuch einer Kollektivbiographie*, Berlin: Christoph Links Verlag: 2002.

(42) Mary Fulbrook, *Dissonant Lives. Generations and violence through the German dictatorships*, Oxford / New York: Oxford University Press, 2011.

(43) ただしフルブルックが言う「1929年世代」は，1929年生まれを中心に前後数年を含むもので，1926年から32年生まれの集団を指している。

(44) Fulbrook, *Dissonant Lives*, pp.247-258.

(45) 1929年生まれの男性は，1945年の段階で15歳か16歳となる。フルブルックは主として召集されなかった世代として1929年世代

崩壊を体験している。ここで重要なのはこの若者たちが1949年の新国家建設の時に20歳になっていることだ。つまり1929年世代とは，東ドイツが誕生し，新しい人材を強く欲していた時期に大人になった世代のことを指す。この世代の中には，新国家の呼びかけに主体的に呼応する人々も多かった。1929年世代の多くは戦後に急速な社会的上昇を経験し，新しい生活を可能にした新国家に対して一種の恩義を感じるようになり，東ドイツや社会主義という理念に肯定的かつ忠実な態度を取るようになった。世代を鍵概念とすることでナチ時代から戦後ドイツに向かう経路を，歴史的な主体に寄り添って読み解く可能性が提示されているのである。なお本書にはドイツ人歴史家から批判が寄せられている。例えば本書では同一人物がナチ時代と東ドイツ時代の両方を語る史料というものがごくわずかしか出てこない。そのため個人の経験としてナチ時代からの連続性が実証できていないという弱点がある[46]。しかしながら，本書が提起した主題の重要性は否定できないように思われる。それは，戦後の東ドイツ国家を支えるようになった多くの人々が青少年期にナチ時代と大戦末期を経験しているということである。「ポスト・ナチズム」という視点は，これまで時期区分によって高度に専門分化されていた近現代ドイツ史に新しい知見をもたらしてくれる可能性がある[47]。

日本では，ナチ時代と戦後を個人のライフヒストリーから論じた木畑の研究がある[48]。青少年期にナチ迫害を逃れ英国に渡り，のちに東ドイツへ「帰国」したユダヤ人たちの人生行路を，木畑は主にインタビューを通じて再構成している。彼らキンダートランスポート（ユダヤ人児童青

少年救出運動による国外脱出）経験者たちは戦後の東独社会を，公正でより良い社会を目指すためのプログラムであったとして肯定的に捉える傾向がある。この点で，彼らにはフルブルックの言う1929年世代と共鳴している部分がある。例えば，1929年世代よりやや年齢が上がるが，1924年生まれのキンダートランスポート経験者マリアンネ・ピンクスは英国へ脱出後，東ドイツに帰還した。彼女はその後東独で教員や大学の助手として働き，社会主義国家の建設のために尽力した経験を持つ。彼女は2010年に木畑へ送った手紙で，東ドイツの体制に献身した過去を振り返り，「当時の私たちの進歩信仰，理想主義，ナイーヴさには，ただ悲しみをもって微笑むことしかできないが！」[49]と述べている。木畑の研究はナチ政権での経験とその後の東ドイツ社会での経験のつながりを同一人物で実証している。世代と個々人のライフヒストリーを軸に据えることで，戦争と戦後を生きる経路が，その都度の政治体制を超えて浮かび上がってくるのである[50]。

歴史的主体の経験に寄り添ってナチズムから東ドイツを連続して見るには，史資料が豊富に残されている知識人に対象を定めるのも有効であろう。例えば，東ドイツで最も著名な1929年生まれとしてはクリスタ・ヴォルフ（1929-2011）が挙げられる。ヴォルフは戦後ポーランド領となった町ランツベルク・アン・デア・ヴァルデ（現ゴジュフ・ヴィエルコポルスキ）で生まれ，戦争末期に戦火を逃れてメクレンブルクに移り住んだ。ヴォルフは1980年代のインタビューで，終戦時に16歳だった自分たちの世代について振り返り，こう述べている。敗戦後，彼女たちの世代はファシズムに完全に参加したわけではないが，どこか後

を扱っているようである。ただし1929年は兵士になった者がいる最後の生年でもある。1928-1929年生まれに関する召集については，リチャード・ベッセル（大山晶訳）『ナチスの戦争—— 1918-1949・民族と人種の戦い』（中央公論新社，2015年）195-196頁；Kerstin Theis, U. Herrmann u.a. (Hrsg.) „Junge Soldaten im Zweiten Weltkrieg", H-Soz-Kult, am 17.11.2011 (https://www.hsozkult.de/publicationreview/id/reb-15382)（最終アクセス2020年9月29日）を参照した。対象を男性のみに限り，兵士としての経験の有無を基準にした場合は1930年の方が重要であろう。しかしフルブルックは1929年世代を男女ともに対象としており，のちの東ドイツでの幹部となる人々の生年，とくに1949年時点の20歳を意識している。そのため世代の名前としては1929年が選ばれている。

(46) 本書は，1900年代生まれと1929年生まれのコーホートを軸に20世紀ドイツ史を暴力の経験から描いたものである。しかし，二つの世代のつながりや影響が明らかにされず，結果として複数の世代の物語が並行しているに留まっている。また，いくつかの鍵概念，例えばタイトルの「不調和をきたす複数の人生・生活（Dissonant Lives）」，「内側からの歴史（history from within）」，「構造的・文化的な動員可能性（structural and cultural availability for mobilization）」が定義されず多義的に使用され続けていることに批判が寄せられている。この点についてはキューネを参照。Thomas Kühne, "Review of Mary Fulbrook, Dissonant Lives: Generations and Violence through the German Dictatorships (Oxford: Oxford University Press, 2011)", *German History*, 30 (2012), pp.323-325. さらにノルツェンはフルブルックの史料の引き方に疑問を呈し，ナチ時代・第二次世界大戦における暴力行使について，エゴ・ドキュメントを鵜呑みにしているとして，本書全体を「失敗」と評価している。Armin Nolzen, "M. Fulbrook. Dissonant Lives", 21.06.2012, *H-Soz-Kult* (https://www.hsozkult.de/publicationreview/id/reb-16086)（最終アクセス2020年9月28日）
(47) フルブルックは，ポスト・ナチズムとして東西ドイツを見ることの意義を2016年の論考でより明示的に訴えている。Mary Fulbrook, „Die fehlende Mitte. Die DDR als postnazistischer Staat", Mählert (Hrsg.), *Die DDR als Chance*, S. 89-98.
(48) 木畑和子『ユダヤ人児童の亡命と東ドイツへの帰還——キンダートランスポートの群像』（ミネルヴァ書房，2015年）。
(49) 同上，271頁。
(50) 東ドイツは対象となっていないものの，ナチ時代と戦後の西ドイツとの連続性を個人に注目して論じたものとして，山井の研究も参考になる。山井はゲアハルト・ツィーグラーという専門家に着目し，19世紀末から1960-70年代のドイツの国土開発を検討している。山井敏章『「計画」の20世紀——ナチズム・<モデルネ>・国土計画』（岩波書店，2017年）。

ろめたさを感じていた。そのような時，新社会建設に協力せよという共産主義者たちの訴えは，以下のように感じられた。

そこに魅力的な申し出がやってきました。君たちは，実際にはまだ実行していないかもしれないが，国民的犯罪に加担したかもしれない。しかし，ナチズムの犯罪的な体制に対して唯一にして急進的な選択肢である，ナチとは真逆の新社会の建設に参加することで，君たちは〔罪悪感から—引用者〕免れられるという申し出です[51]。

ここでは，一種の罪悪感が1929年世代による東ドイツへの献身の背景にあることが分かる。また，ヴォルフの自伝的な小説『幼年期の構図』を，ナチズムから東ドイツへの移行過程の経験として読むことも可能であろう[52]。

さらに，ヴォルフよりもやや年上ではあるが，哲学者ヴォルフガング・ハーリヒ（1923-1995）の事例もまた，ナチ時代を経験したがゆえに東ドイツを支持した経験史として読み解くことができる。彼は戦争末期に兵役につくものの，逃亡してベルリン市内の反ナチ抵抗グループに加わった。戦後は経歴に疵のない若き共産主義知識人として，ベルリン大学やアウフバウ出版社でキャリアを積む。しかし彼は1956年のスターリン批判とハンガリー事件に関連して，体制への反対派になっていく[53]。ヴォルフやハーリヒのように，1920-30年代にナチ・ドイツを経験したからこそ，その後1950-60年代に東ドイツ国家の重要な担い手になった知識人研究もまた，フルブルックの提起した問題に答えるために有効な方法であろう。

3.2.3　関係史・比較の視点

既に3.2.1でも言及したように，時間設定を特定のテーマに応じて「ずらす」ことは，比較や関係史への道を開く。関係史としては，工藤による日・東独の経済関係史の研究を挙げることができる[54]。工藤は，第一次オイルショックという危機から両国がそれぞれどのように脱しようとしたかを，日本の民間企業（呉羽）と東独国家の中核

的な人民所有企業（ツァイス）の関係史として論じている。

さらに大胆な比較を行っているのが，アメリカのフランス史研究者のダーントンによるものである[55]。ダーントンは，書籍検閲の比較研究としてアンシャン・レジームのフランス（18世紀），英国植民地支配下のインド（19世紀），ホーネッカー時代の東ドイツ（20世紀）を比較している。ダーントンは国家が書籍に多様な形で影響を与える検閲の通時的共通点を確認している。三つの体制では，いずれも国家権力が特定の情報を制限するだけでなく，情報を評価し，場合によっては促進しようとしていた。ダーントンはこれと同時に，検閲がそれぞれの文化システムで作動する時に，それぞれの政体の特殊性が現れることも明らかにしている。この対比によって東ドイツの検閲には，分断国家として検閲に限界があったことが浮き彫りになっている。比較や関係史という方法は，外国史として東ドイツ史を研究する歴史研究者にとって自らの強みを生かせる方法であり，日本からも積極的な発信が期待できる。

■ おわりに

この30年間で東ドイツ史研究はドイツ現代史の一分野として確立され，テーマや方法論が多様化していった。ただし，東ドイツ史研究をめぐる環境は，かつての「ブーム」が去り，さらに連邦共和国史研究が圧倒的な存在感を持つようになったことで厳しさを増している。それゆえ，先行研究上の空白を埋めるだけではなく，研究の意義を明示的に打ち出す必要が，今まで以上に強く求められている。

今後の課題としては，第一に，専門分化していった研究成果を把握することで，どのような全体像が見えるのかを考察することにある。具体的には（本稿がその一助となれば幸いであるが）研究史の整理とその成果に基づく通史の検討が必要である。これと並んで重要なことは，「ナチ時代を負の起点とし，現在の連邦共和国の成功をゴールにする」叙述の規範的な力を自覚し，これに回収されない叙述

(51) „Christa Wolf über Schuldgefühl und Loyalität", Matthias Judt (Hrsg.), *DDR-Geschichte in Dokumenten*, Bonn: Bundeszentrale für politische Bildung, 1998, S. 59-60.

(52) Christa Wolf, *Kinderheitsmuster*, Frankfurt am Main: Suhrkamp, 2007.（原著1971年）〔クリスタ・ヴォルフ（保坂一夫訳）『幼年期の構図』（恒文社，1981年）〕

(53) ハーリヒ事件と彼の人生行路については，以下二つの回想，ならびにプロコップの評伝を参照。Wolfgang Harich, *Keine Schwierigkeiten mit der Wahrheit. Zur nationalkommunistischen Opposition 1956 in der DDR*, Berlin 1993, ders., *Ahnenpaß. Versuch einer Autobiographie*, hrsg. von Thomas Grimm, Berlin: Schwarzkopf & Schwarzkopf, 1999; Siegfried Prokop (Hrsg.), *Ich bin zu früh geboren. Auf den Spuren Wolfgang Harichs*, Berlin: Dietz Verlag, 1997.

(54) 工藤章「日本と東ドイツの経済関係——第一次石油危機後の接近・呉羽工業とツァイス」工藤章／田島信雄編『戦後日独関係史』（東京大学出版会，2014年），342-385頁。

(55) Robert Darnton, *Censors at Work. How States Shaped Literature*, New York: W. W. Norton & Company, 2014.〔*Die Zensoren. Wie staatliche Kontrolle die Literatur beeinflusst hat. Vom vorrevolutionären Frankreich bis zur DDR*, aus dem Englischen von Enrico Heinemann, München: Siedler Verlag, 2016.〕

を試みることである。東ドイツ史には，連邦共和国史の「成功の歴史」をニュアンスに富んだものにし，複雑化し，時に脱線させる可能性があるのだ。さらにこの可能性を試していくことが第二の課題と言える。ただし東ドイツ一国を1945年の始点と1990年の終点だけで議論すると，それは「成功史」を単純化したものになりかねない。そこで重要なのが1945年より前から叙述を開始することや，終点を90年にしないこと，あるいは地理的に範囲を広げることを通じて，新しい枠組みから東ドイツを論じることである。その時代区分として，例えば「大きな国家」の時代である1930-70/80年や，ナチ時代と東ドイツの前半を世代の経験として捉える1933-1961年などを想定できる。1990年から30年が経ち，現在の私たちは1990年の意味を歴史化できる地点に来ているのである。

文学における東ドイツの想起の語り
——アイデンティティの政治とは別のところへ

宮崎麻子

1 はじめに

ドイツ民主共和国（以下，東ドイツ）の終焉には，新しい後継国家の誕生が伴わない。冷戦期に反対側の陣営にあったドイツ連邦共和国への編入という事態によって，国民の「再統一」というナショナリズムの問題と，冷戦の勝者たる「西側」への異文化の統合とが結びつくことになった。こうした特殊な条件下で，東ドイツ出身者たちはその文化的な帰属をめぐって，統一ドイツ社会におけるアイデンティティの政治に巻き込まれてきた。

本稿はそのような状況と関連する文学作品群を読み解き，文学における想起の言説がいかにアイデンティティの政治と格闘しているか，その様態と機能を検討していく。作品群の分析に入る前にまずは第2節で，東ドイツ出身者をめぐるアイデンティティの政治の状況とそれに関する議論を手短に見たうえで，東ドイツの記憶や想起という問題との接点を確認する。主となる第3節では，東ドイツの想起の語りを展開するような作品群を「ポスト東ドイツ文学」という呼称のもとで捉え，4つの観点から6つの作品例を分析する。分析の結果をもとに第4節でまとめの考察を行う。

2 アイデンティティの政治と東ドイツの記憶

東ドイツ出身者の国民意識や東ドイツ・アイデンティティという話題が，新聞や雑誌などジャーナリズムにおいて，この30年間繰り返し報じられている。とりわけ，「ド

イツ人」というより「東ドイツ人」と感じるひとの割合や，「二級市民」と感じるひとの割合が調査され，その割合の高さが社会問題として取り上げられてきた。そうした際には頻繁に，真の統一はいまだ達成されていないという否定的な評価が伴う。こうした調査が新聞や雑誌で提示されるとき，西ドイツ出身者はあたかも透明であるかのように，何も問われない。その傾向はドイツの大手メディアだけでなく，日本の報道でも繰り返されている。冷戦を生き延びた「西側」の視点を基準として，東ドイツ出身者を診断の対象であるかのように語る行為が普及・定着しているのだ。そのようにして東ドイツ出身者に一方的にアイデンティティの問いを投げかけ社会問題化する言説は，東ドイツ・アイデンティティをマイノリティ的カテゴリーとして構築することに寄与してきたといえるだろう[1]。

東ドイツ出身者のマイノリティ性が東西の人口比や経済格差，社会の諸制度（の変更）など様々な不均衡の上に成立していることは確かだが，カテゴリーとしての東ドイツ・アイデンティティが統一ドイツ社会の言説において構築されてきたものであることは，近年様々な論者が示している[2]。たとえば社会学者のトーマス・アーベは複数の要因に言及しつつ，大手メディアが西ドイツ系のものであり，そこで東ドイツが他者としてステレオタイプ的に描かれることを最も問題視している[3]。カトリーン・ヘフトは，西ドイツで既に「克服」された過去（権威主義とナチズム）が東にはまだある，という言説が新聞報道にみられること，そこで自己の過去を東に投影するという形式の語りが現代の東ドイツ地域の人々を他者化していることを指摘し

（1）アイデンティティを問う側と問われる側がマジョリティとマイノリティの分類と重なることについては，加藤秀一『はじめてのジェンダー論』（有斐閣，2017），26-27，46頁を参照。

（2）本文で触れた以外では次の記事などを参照。Raj Kollmorgen, „Soziologe über ostdeutsche Identität. Das begann erst nach der Wende" (Interview), *TAZ*, 29. 6. 2018. https://taz.de/Soziologe-ueber-ostdeutsche-Identitaet/!5516855/ （2020年8月6日閲覧）; Jörg Ganzenmüller, „Ostdeutsche Identitäten. Selbst- und Fremdbilder zwischen Transformationserfahrung und DDR-Vergangenheit", *Deutschland Archiv*, 24. 4. 2020. https://www.bpb.de/geschichte/zeitgeschichte/deutschlandarchiv/308016/ostdeutsche-identitaeten （2020年8月6日閲覧）

（3）Thomas Ahbe, „Die ostdeutsche Erinnerung als Eisberg. Soziologische und diskursanalytische Befunde nach 20 Jahren staatlicher Einheit", Elisa Goudin-Steinmann / Carola Hähnel-Mesnard (Hrsg.), *Ostdeutsche Erinnerungsdiskurse nach 1989. Narrative kultureller Identität*, Berlin: Frank & Timme, 2013, S. 27-58.

た[4]。

　東ドイツ・アイデンティティは他者として名指されることによってだけでなく，当事者たちの発話，つまり東ドイツ出身者が「東ドイツ人」を自己像として描く言説によっても強化，再生産される。こうした場合「東ドイツ人」の概念には，西の視点からの否定的な位置づけに対抗するような，肯定的な評価が込められることも多い（たとえば東ドイツ人のほうが堅実，協調性が高い，など）[5]。しかしまさにそれによって，東ドイツ・アイデンティティというマイノリティ的カテゴリーの構築に参与し，それを固定化してしまう[6]。

　このようなアイデンティティの政治と連動して，類型化された東ドイツ像が流通している。歴史研究者のマーティン・ザブロの判断によれば，2000年頃を境にして，東ドイツ出身者たちそれぞれの経験と実感に基づいた記憶が並存していた状況から（彼はそれも分類しているのであるが），アイデンティティ要求と結びつくような数種類の「文化的記憶」が政治的に衝突しあう状況への移行が始まったという。21世紀になって特に競合している記憶とは，悪の独裁国家のイメージと，平和な日常に焦点をあてる東ドイツ像との両者である[7]。前者は西側の視点で東ドイツを他者化する言説と結びついており冷戦時代からの延長といえるが，1990年以降それは歴史の勝者の視点から現体制の正当性を確認する物語としても現れる。こうした東ドイツ観に統合されうる当事者の視点として，元反体制派や東ドイツから逃亡した人々の語りが召喚されることは，博物館の展示や壁崩壊30周年のセレモニーなどでもみられることである。そういった記憶から切り捨てられる日常生活を拠点とするような東ドイツ像は，2000年頃から対抗言説を形成して東ドイツ・アイデンティティを肯定・擁護するようになっていった。どちらの類型の東ドイツ像も，それぞれが結びつく集団や視点は異なるが，確かに一種の「文化的記憶」として流通している。

　だが，同じ過去を経験した人々どうしが語り合い共有していく「コミュニケーション的記憶」が，文化集団のアイデンティティを支えるような「文化的記憶」へと移行する

には80年から100年の時間がかかると，ヤン・アスマンは言っていた[8]。この時間的経過の中で経験の当事者がいなくなっていき，記憶が均一化・神話化され，口頭ではなく様々な媒体によってのみ記憶が継承されることになっていくからだ。つまり，たとえ「文化的記憶」の機能をもった東ドイツ像が流通し始めているとしても，東ドイツ崩壊後30年という期間は，東ドイツをめぐる当事者の経験が数種類の均一化した「文化的記憶」に統合されきるには，まだあまりにも早い。東ドイツの経験を構成する出来事や時期は一様ではなく，その比重や経験のあり方には，世代，ジェンダー，政治的立場，都市と田舎など，様々な偏差が伴う。しかも個人の想起は，特定の世代や政治的立場を常に代表するわけではない。様々な立場を揺れ動いたり，「文化的記憶」との距離や軋轢を示したりする想起もまた，語られうることであり，語られてきたのである。

　そうした想起の生産・流通を担ってきた言説ジャンルのひとつとして，文学を捉えることができる。文学においてはオルタナティブな物語が生産されやすい。様々な社会領域の言説が文学テクストに流れ込み，元のジャンルの制約（たとえばフィクションでないこと）から逃れてテクストの中で絡み合い，相互に作用しあい，新しい意味を，そして複数の意味の可能性を生み出していく。ステレオタイプが再生産されることもあるが，それが組み替えられたり，それへの反発やそこに潜む矛盾も露呈したりする。文学の物語は，東ドイツの経験がいかに語られるかについて，複雑かつ兆候的な例を示す。そこではアイデンティティ要求やそれに対する距離がどのように生じているのか。また，そこにはどのような歴史的想像力が見いだされるのか。このような問いのもとで視野に入ってくる文学作品群を「ポスト東ドイツ文学」と呼び，例を見ていきたい。

3 ポスト東ドイツ文学

　ポスト東ドイツ文学は，東ドイツが崩壊し「西側」に編入するという，文化の衝突と混淆に満ちた文脈の中で生じてきた文学である[9]。そこでは文化的帰属をめぐる問いと

（4）Kathleen Heft, „Brauner Osten – Überlegungen zu einem populären Deutungsmuster ostdeutscher Andersheit", *Feministische Studien*, 36（2），2018, S. 357-366.

（5）一例として：Timo Meynhardt, „Wir sind doch endlich wieder wer, oder?", *Zeit Online*, 16. 12. 2018.　https://www.zeit.de/2018/52/ostdeutsche-identitaet-anpassung-vergleich-westdeutschland-timo-meynhardt　（2020年9月23日閲覧）

（6）こうした機能をもった言説をオスタルギーと呼ぶこともできるだろう。ただし先述のアーベはオスタルギーをより広い範囲で捉え，そのうえで四種類に分けている。

（7）Martin Sabrow, „Die DDR erinnern", ders.（Hrsg.），*Erinnerungsorte der DDR*, München: C. H. Beck, 2009, S. 11-27, hier S. 20-21.

（8）Jan Assmann, *Das kulturelle Gedächtnis. Schrift, Erinnerung und politische Identität in frühen Hochkulturen*, München: C. H. Beck, 2005, S. 48-56.

（9）「ポスト東ドイツ文学」の捉え方と，クリスタ・ヴォルフの小説『天使の街』以外の分析例は，筆者の博士論文 Asako Miyazaki, *Brüche in der Geschichtserzählung. Erinnerung an die DDR in der Post-DDR-Literatur*, Würzburg: Königshausen & Neumann, 2013. を基にしている。『天使の街』の分析は，2016年リスボンにて開催された学会 *Nationalismus. Europe in its Labyrinth* で行った口頭発表

連動した，想起の語りが現れる。想起の語りは一種の言語行為であり，行為であるゆえに備わる動的な性質は，「文化的記憶」のもつ集団的アイデンティティ統合機能とは緊張・対立関係にある。

　以下では，想起の語りと文化的帰属をめぐる問題が，詩学的な特徴や，問題を誇張するような設定と結びついているようなテクストを選んで例を示したい。自伝的要素の有無は作品選択の基準にはしていないが，ポスト東ドイツ文学の作品群には，設定が作者と似ているような語り手がしばしば登場する[10]。作品のジャンルも旅行記なのか旅行記ふうの小説なのか明記されないものや，エッセイ的なものも含まれる。そうした自伝的要素が素材となっているテクストであっても登場する要素は選択的なもので，変形されたり架空の要素と組み合わされたりする。そしてすべての要素はテクストの中で互いに関連しあい独自の意味を自律的に産みだしていく。こうしたメカニズムを備えたテクストの中で構成される語り手という存在を，実在の作者と同一視することはできない。たとえ設定が作者と近似した語り手が登場していたとしても（そしてその近似がいかに演出されるかは，文学のジャンルや個々の作品の設定によって異なるが），分析において扱われる想起の主体とは常に，作者と異なる位相にある《テクストの語り手》である。

3.1　統一の中に潜む分裂の詩学（チェホウスキ）

　ハインツ・チェホウスキ（1935-）が統一直後に発表した「記念碑の影で」（1991）はエッセイ的スタイルで書かれているものの，散文が途切れて詩行になるところが何か所かあり，独自の言葉の運動を駆動させていく。語り手はライプチヒのシュテッタリッツ地区に在住し，そこには諸国民戦争記念碑というナショナリズムを体現する巨大な建造物が立っている。この地区の住民である自分たちは，「今やアイデンティティをモビリティという馴染みのないものに取り換えなければならない」と彼は言う[11]。モビリティの内容は言葉で説明されず，その代わりすぐに 9 行から成る詩行がそれを実演していく。かつて戦場となったこの地域について描写する詩行は頁の右側に寄せられ，1 行あたり 2 ～ 6 語という短さであるにもかかわらず，4 行目と 5 行目では単語の途中で改行が施される。そこでは「ナポレオン（Napoleon）」と「君主の丘（Monarchenhügel）」

の語が解体される。

> ［…］Na-
> Poleonstein, Mon-
> Archenhügel: Geschichte
> ［…］

語の分断により，「ナポレオン」という言葉に「ポーランド人（Pole）」や「極地（Pole）」，「レオン」（人名）が，そして「君主の丘」には「Mon」という他言語の言葉（たとえばフランス語で「私の」）や「船（Arche）」の存在が見えてくる。改行による語の分断が，新しい意味を引き寄せ，産みだすのだ。テクストのもっと前のほうでも，シュテッタリッツ地区が「Stötteritz（St. Ötteritz）」と表記され，「聖エッタリッツ」という新しい固有名が生成されたかと思うと，その数行先では「Das Dorf S.（S村）」と略記されていた。こうして記念碑がそびえる土地，つまりドイツ統一を称揚するまさにその場所の持つ同一性・固有性が，その地名とその描写から揺らいでいき，別のものを産みだす。

　こうした言葉のダイナミズムは，後半の一節，自己診断的な文章に登場する「分裂」の概念と呼応する。

> 私はザクセンに所属しており，このザクセンはドイツ連邦共和国の新しい州のひとつになったのであるが，私は「元・東ドイツ市民」であって，また連邦共和国の市民ではない。こんな今の私の状態は，分裂症の状態といえるのではないだろうか[12]。

「分裂症の状態（der Zustand der Schizophrenie）」という比喩的な表現において，語り手の帰属をめぐる問題と，先ほどみたような単語の分割，そしてまたテクストが散文の部分と詩行の部分の二種類に「分裂」しているという詩学的な特徴とが関連しあっているのを見出すことができる。

　形式と呼応して《統一の中に分裂が潜む》というテーマが発展していく。語り手は，19 世紀のナショナリズムが諸国民戦争記念碑を利用してきた経緯を確認し，しかしザクセン王国は諸国民戦争でプロイセンの敵としても戦ったことを指摘する。つまりナポレオン戦争においてドイツの

Asako Miyazaki, Entdeckung und Vereinnahmung? Umgang mit Exilliteratur in Christa Wolfs Roman *Stadt der Engel oder The Overcoat of Dr. Freud*（2010）を基にしている。

(10)　先行研究には，東ドイツ出身作家による自伝的作品に注目する研究もある。東ドイツ崩壊後の文学をめぐる研究は様々な視点から数多く行われておりここで列挙する余裕はないが，一部は注 24 に挙げたものと重なる。また，注 3 の文献は東ドイツの想起の言説をテーマとする学際的な論集である。

(11)　Heinz Czechowski, „Im Schatten des Denkmals", *neue deutsche literatur*, 9/1991, S. 51-59, hier S. 54.

(12)　Czechowski, „Im Schatten des Denkmals", S. 56.

勢力が分裂していたことに注目を促すのである。東ドイツが消滅し，所属意識をめぐる問いがもちあがったことで，分裂を駆動力とし，ドイツ統一から距離をとる歴史語りが展開していく。統一を称揚する記念碑から目を背け，語り手は周辺の街路や商店，それにまつわる逸話，「無名の廃墟の丘」などに言及していく。こうした「記念碑の影」，つまり周辺の要素が注目されていく様は，単語の文字列に隠れていた新たな要素が発見されていくあのダイナミズムに似ている。

テクストの終わり近くで語り手は，「ドイツの記念碑」としては諸国民戦争記念碑ではなくドレスデンの聖母教会の廃墟のほうを眺めたいという。「この眺めからならば自分たちが到達すべきアイデンティティを見つけるために，歴史に思いをはせる根拠を得られるかもしれない」と(13)。テクストの途中でアイデンティティを「モビリティと取り換えなければならない」と言っていたことと一見矛盾するようにも思われるが，最後にこうして再び引き寄せられたアイデンティティ概念は明らかに「統一」を疑問視するものである。廃墟と結びついたアイデンティティ概念は，分裂の詩学という「モビリティ」を内蔵するものに違いない。

3.2　忘れたいのに忘れられない東ドイツ（ドラーヴェルト，ザイラー）

2000年代には，1960年前後の生まれの2人の作家がそれぞれシベリア旅行をめぐるテクストを発表した。興味深いことにどちらのテクストにも，東ドイツ出身であることを隠したい・忘れたいという態度が見て取れる。1935年生まれのチェホウスキの文章には見られなかった態度だが，これは世代の問題と関係しているだろう。2篇の旅行記の語り手たちは（それぞれの作者と同様）統一ドイツ社会に働き盛りの若者として適応しなければならなかった世代の男性だと思われる。シベリア旅行という設定とその記述には，語り手たちが10年程かけて西の基準や規範に適応してきたのであろうこと，そしてそれが東の出自を隠したい・忘れたいという態度と連動しているのではないかということが，うかがわれる。というのもシベリアは，東ドイツ出身者でもヨーロッパから来た西の旅行者になれるところとして，旅の目的地になっているのだ。しかし旅行が進むにつれて，忘れたいのに忘れられないものとして東ドイツの出自が浮上する。

クルト・ドラーヴェルト（1956-）の旅行記『東に向かって世界の果てまで』（2001）の語り手がその事態に直面す

るきっかけは，シベリア横断鉄道のコンパートメントで西ドイツ出身の乗客と乗り合わせることである。この隣人は東ドイツに理想を投影してきた共産主義者であった。東ドイツで自分が見てきたことと大きく食い違うことを隣人が話すため，語り手は口を挟まずにはいられなくなり，自らの出自を隠すのを止め，突然皮肉をこめて明かす。

「出身国という点で私はより幸運であったということになります」と私は言った。「反ファシスト，元・抵抗運動家がたくさんいて，英雄ぞろいの国でしたから。（・・・）」—「あなたが東の出身とは，知りませんでした」—「私も今まで知りませんでした。忘れていたのかもしれません。多くのことを忘れました。永遠に忘れていたいと思っているのです。」—「ご出身はどちらなのですか？」(14)

隠していた出身を自ら暴露すると，語り手はその発話の効果に翻弄され，出身を忘れていたと言ってしまう。そもそも彼は旅行記の始めのほうで，東に行けば行くほど「後進性」を目にすることができるという話を長々と語っていた。シベリアという「遅れた」ところに行けば自分はより「進んだ」ところ，つまり「西ヨーロッパ」から来た旅人だと確認できるのだと。進歩的・後進的という観念を西と東の方向に定規のように当てはめていた語り手がシベリア鉄道の客室で動揺するのは，西ドイツの出身の隣人の存在によって自分が「東ドイツ人」であることが浮上するからである。今や語り手は「西ヨーロッパ人」であることに失敗したうえ，ただの「ドイツ人」でいることもできない。

ルッツ・ザイラー（1963-）の短編小説「トゥルクシブ」（2008）でも，語り手が鉄道の中で東ドイツの出自を意識させられるが，そのプロセスはより複雑である。ハイネの詩やカフカの小説が変奏・変形され，そのような先行テクストとの関係も，ひとつのカテゴリーの内部に分裂や差異が出現するダイナミズムを重層的にしていくからだ。

断片的な描写から，「トゥルクシブ」の語り手は文化交流事業の一環で領事や通訳とともにカザフスタンに赴いていることがうかがわれる。その旅は「無の中の街」という題名が冠された企画であり，そのいかにもヨーロッパ文明の外に赴くというオリエンタリズム的なニュアンスによって，語り手はヨーロッパ人として現れる。領事の登場によって，一行がドイツ人として旅しているという含意もさりげなく加わる。

語り手の出自が発覚するきっかけは，トルキスタン・シ

(13) Czechowski, „Im Schatten des Denkmals", S. 59.
(14) Kurt Drawert, „Nach Osten ans Ende der Welt. Eine Eisenbahnreise", ders., *Rückseiten der Herrlichkeit*, Frankfurt a. M.: Suhrkamp, 2001, S. 177-240, hier S. 224.

ベリア鉄道（トゥルクシブ）車内の廊下を通訳の女性と歩いているときに，地元カザフスタンのボイラーマンに出会うことである。車掌と共に車両に現れたボイラーマンは，他の乗客たちに「サラム・アレイクム」とイスラムの挨拶をしていたが，語り手の前に来ると様子が変わる。

> 慎重な仕草でこのボイラーマンは私のほうだけを向いて言った──「ネメツキ?!」。私が返事をしようとする前に，彼はブーツの踵を揃え，肘を曲げて角度を作り，顎を少し上げた。彼の幼い顔が孤高で厳粛になった[15]。

「ネメツキ（ドイツ）?!」というロシア語の問いを耳にして理解できる「ドイツ人」とは大抵，東ドイツ出身者である[16]。この問いは「ドイツ人」の概念に差異を出現させる装置にほかならない。語り手は横にいる通訳者に，自分はボイラーマンよりも低い階級の兵士だったと思われるため敬礼をやめてもらいたい，と伝えるよう頼む。ボイラーマンのロシア語と身振りによって，彼が元ソ連軍の兵士であることが語り手には即座に分かったのだ。それによって語り手は突然東ドイツ出身者として，さらには元 NVA（東ドイツ人民軍）の兵士として現れ始める。通訳が伝わることなく，ボイラーマンはすぐに「ローレライ」を歌い始め，そして歌いながら語り手を抱擁する。「鼻の粘膜を刺激するような酸っぱいにおい」の制服を着たボイラーマンとの身体的接触が，東ドイツ時代の想起を呼び覚ます。語り手は，「遭遇」「解放者」などのソ連軍にまつわる単語や，ソ連軍基地のにおいの記憶に襲われる。「ローレライ」の「それが私の頭から離れない」という歌詞を，ボイラーマンの代わりに語り手が叫び，それは彼自身の東ドイツの想起を表す言葉として現れる。

カザフスタンのボイラーマンが「ドイツ人」を発見して「ローレライ」を歌うのは，「ローレライ」にドイツのナショナルなイメージが付随していることと関連しているだろう[17]。だが伝説の美女ローレライの居場所ライン川は，「ネメツキ?!」というロシア語を聞き取れる人々が育った国，東ドイツには流れていない。そのうえボイラーマンは，ライン川の美女という似つかわしくない役柄を演じている──ハイネの詩の中でローレライが船乗りを誘惑して転覆に至らしめたのを模倣するように，鉄道で旅する語り手を記憶の渦に陥れることによって。こうして，ドイツのイメージに付着する記号の配置が攪乱されていく。ハイネの詩においてローレライは，船を漕ぐ男性という近代的主体を誘惑して主体の確立を妨害するような神話的な力の形象であり，女性として表現されていた[18]。これに対しトゥルクシブのボイラーマンは，語り手との対置関係の構図（ヨーロッパ人男性の旅人／ヨーロッパの外部で誘惑を行う女性）が見せかけにすぎないことを暴露し，二人が「共通の過去」をもつ男性どうしであると喚起する。このプロセスは，ボイラーマンが語り手に突然キスすることで頂点に達する。露わになった元東ドイツ兵と元ソ連兵という関係が，そこでひとつの歴史的な図像となるのだ。二人はいつのまにか，かつてソ連と東ドイツの首脳が行った「社会主義の兄弟のキス」の儀礼を再演しているのだから[19]。

そもそもこの旅自体も，東ドイツとソ連の歴史的関係の再演といえる。東ドイツからカザフスタンへという旅のルートは，東ドイツで発掘されたウランがソ連へ鉄道で輸送された歴史をなぞっている[20]。物語の冒頭で「セメイ セメイ」という（おそらく車掌の）唸り声が描写され，トゥルクシブが走行しているのがカザフスタンの街セメイだと判る。セメイは 1991 年までセミパラティンスクという名のソ連の街で，1949 年から 1989 年の間，核実験が繰り返し行われていた。語り手は，先に目的地として決まっていた二つのカザフスタンの都市に加えて，なぜこのセメイにも寄りたいと自ら申し出たかを説明しない。領事が「セメイにはドストエフスキーの家があるはずですし，『無の中

(15) Lutz Seiler, „Turksib", ders., *Turksib. Zwei Erzählungen*, Frankfurt a. M.: Suhrkamp, 2008, S. 5-30, hier S. 19.

(16) 「ネメツキ?」は，「ドイツ語（で）?」という問いの不完全な形とも捉えられるものの，同時に，旅人に「ドイツ人?」と尋ねるカフカの小説のボイラーマンの再来としても捉えられる。「ドイツ人?」と尋ねるボイラーマンは，カフカの短編小説「火夫」及びその発展形と考えられる長編小説『失踪者』に登場する。フランツ・カフカ（池内紀訳）『カフカ短編集』（岩波文庫，1987 年），119 頁；Franz Kafka, *Der Verschollene. Kritische Ausgabe*, Jost Schillemeit (Hrsg.), Frankfurt a. M.: Fischer, 1983, S. 9.

(17) ローレライの形象が 19 世紀にドイツの「記憶の場」となっていった経緯や，東ドイツにおけるその受容・変遷については以下を参照。Katja Czarnowski, „Die Loreley", Etienne Francoiss / Hagen Schulz (Hrsg.), *Deutsche Erinnerungsorte*, München: C. H. Beck, 2001, S. 488-502.

(18) ハイネの詩には，これら登場人物たちの物語を古い伝説として語る，枠外の語り手の視点も存在している。Paul Peters, „Die Frau auf dem Felsen. Besuch bei Heines Loreley", *Heine-Jahrbuch*, 36. Jahrgang, 1997, S. 1-21.

(19) 「社会主義の兄弟のキス」の例として，特にブレジネフが 1979 年にベルリンでホーネッカーと交わしたときの写真や報道が知られている。Jan C. Behrends, „Freundschaft, Fremdheit, Gewalt. Ostdeutsche Sowjetunionsbilder zwischen Propaganda und Erfahrung", Gregor Thum (Hrsg.), *Traumland Osten. Deutsche Bilder vom östlichen Europa im 20. Jahrhundert*, Göttingen: Vandenhoeck & Ruprecht, 2006, S. 157-180, hier S. 172.

(20) ウランの輸送については以下を参照。Rainer Karlsch, *Uran für Moskau. Die Wismut – Eine populäre Geschichte*, Berlin: Christoph Links, 2007, S. 64.

の街』という旅のテーマにちょうどいい」という理由で賛同してくれたことのみが短く語られる。語り手は，ソ連と東ドイツの軍事的なつながりについて自らの言葉で直接，安定的に説明することができない。

だが彼はトゥルクシブに乗車する直前にガイガーカウンターを一台買ったといい，ウランに関係する旅だと意識していることを垣間見せている。複数の「ヨーロッパのガイドブック」において，機器が反応するほどの値は出ないので携帯することで安心感が得られるとして，購入が勧められていたのだという。語り手のガイガーカウンターはしかし様々な音を発し，点灯もする。明らかに本来の機能を果たしていないそのシグナルは時に何かを伝えようとする声のようであり，自らの内面と連動していることに語り手は気づく。この機器と語り手との関係の密接ぶりは，言語的現象としても現れる。彼はこの機器を Zähler（測定器），Erzähler（語り手），Erzählerkästchen（語る箱）と言い換えていく。それは本当の名称がもつ恐ろしいイメージを回避するためであると言い訳がましく言い添えられるが，テクストを読むわたしたちには，「ガイガーカウンター（Geigerzähler）」の中に「語り手（Erzähler）」が含まれていることが露わになる。このような言葉遊びと，その音や点灯の描写は，このテクストの構造を相似形のように再現しているかのようだ。語り手は自らの行動と東ドイツ・ソ連の歴史に関わる想起との関連を説明することができないものの，そのシグナルのような現象（鉄道の車内での出来事）を描写し，その描写によってわたしたち読者は，ウラン輸送の歴史や「社会主義の兄弟のキス」のイメージを読み取るよう促されるからだ。

語り手にとって忘れたい——それゆえはっきりは説明できない——東の出自，及びカザフスタンのボイラーマンが同じ陣営の「戦友（Waffenbruder）」だったかもしれないという「共通の過去」の認識は，隠され保存されてきた記憶であるかのような印象を与えるものの，事後的に意味づけられている側面もある。歴史研究者ジルケ・ザトゥコによれば，東ドイツ出身者一般にとって，ソ連の人々と共通するような社会的経験をしたことや東ドイツに占領軍として駐留していたロシア人との関係（それが緊張をはらんだものでもあったとしても）が自分たちの歴史に含まれているという認識があるという。そしてそのような認識は 1989 年以降強化され，「東ドイツ出身者の《われわれ意識》の支え」になってきたように思われる，とザトゥコは述べている[21]。2000 年代の東ドイツ・アイデンティティの構築と親和性のあるこうした「東側」への帰属意識，そしてそれと連動するソ連軍の記憶が，「トゥルクシブ」においては

語り手を統合するものとしてではなく，混乱を引き起こすものとして登場している。

ドラーヴェルトとザイラーのテクストにおけるシベリア旅行の語り手はどちらも，西と東を対置して自らの視点を西に置くという西側中心的な振舞いを一度は行うものの，東ドイツの経験を想起し，自らの居場所を定められなくなっていた。「後進的」な場所に向かうことで東ドイツ出身者を西からやってくる旅人にしてくれるはずだった鉄道という乗り物が，テクストの中で語り手たちの文化的帰属を揺さぶる装置となっていく。

3.3　フレキシブルな自己像の模索と肯定へ（ローゼンレッヒャー，クラウス）

帰属をめぐる問いは，トーマス・ローゼンレッヒャー（1947-）による旅行記ふうの小説『登山で歩くことを再発見　ハルツ紀行』（1991）にも登場する。ドイツ統一に先立ち通貨統一が行われた 1990 年 7 月に作家である語り手は旅に出る。それは再び詩を書けるようになるためだと冒頭で説明されている。彼はドレスデンの自宅に妻を残し，ゲーテやハイネが描いたハルツ山地へと旅立つ。これは消えつつある東西ドイツ国境地帯への旅でもある。

ハルツ山地に入ってすぐ，クヴェトリンブルクで彼は西ドイツから来たらしい観光客たちに遭遇する。こうした行きずりの人々はしばしば，持ち物（書類ケース，カメラ，衣服など）で呼ばれ，風刺的に描かれる。

　　教会も閉まっていた。お城の丘の上をうろついているカメラたちは，途方にくれている。「何もかも閉まっているなあ」と，あるカメラが言った。「普通なら開いているはずなのに」と，看板を見たらしい別のカメラが言った。その後から加わるようにして「ここでの普通はどんなですかね」と，クリーム色の夏コートが言った。
　　「ここ東側の人たちが，労働とは何たるかを学ぶまでには，まだ時間がかかるでしょうね」と嫌味な口調でコメントしたのは小型カメラである。
　　「あなたは，東の出身ですか？」と尋ねてきたのはクリーム色の夏コートだ。（・・・）
　　「そういうわけでもないんですけどね」私は予言者のように言った。（・・・）
　　「じゃあ，どこのご出身ですか？」
　　私の頭はあらゆる方角を超えて回転し，最終的に山並の方向に落ち着いた。そちらは西だった[22]。

(21) Silke Satjukow, „Die ‚Freunde‘ “, Martin Sabrow (Hrsg.), *Erinnerungsorte der DDR*, München: C. H. Beck, 2009, S. 55-67, hier S. 67.
(22) Thomas Rosenlöcher, *Wiederentdeckung des Gehens beim Wandern. Harzreise*, Frankfurt a. M.: Suhrkamp, 1991, S. 20-21.

語り手は，東ドイツの人々を診断するような西の観光客の問いをはぐらかしている。東の出身かと尋ねられ西を向くという天邪鬼な身振りは，西を志向しているのではなく，西か東かという出自の問いそのものをルーレットのように暫定的なものとして示す。この語り手は，他の場面では，西ドイツの観光客を批判して東ドイツの通貨や製品を使おうと意気込むこともある。東西のどちらか片方を選ぶのではなく，『登山で歩くことを再発見』という題名に呼応して，左右の足を交互に出して歩くように東ドイツ的なものと西ドイツ的なものに交互に触れては離れることを繰り返す。歩く動作の描写の中で，どちらにも染まらないという在り方が戦略性をもった身振りになっていく。語り手は集団的アイデンティティに埋没することを嫌悪し，それを避ける振る舞いを求め，山歩きで身につけるのだ。野宿の夜に見る夢の描写がその動機を示唆している。彼はかつてSEDに保身のために入党したことがあり，それを後悔しているのだ。夢の中で彼は，これまでの旅程で出会った「小型カメラ」や架空の人物に取り囲まれ，入党の過去を非難される。

執筆スランプをきっかけに集団に染まらずひとりで歩くというこの旅は，一党独裁体制下の知識人として，つまり党員であることを求められるような立場で役割を割り振られることがなくなったときに，いかに作家であり続けるかを模索する旅なのだ。通貨統一に先立って既にSED体制は崩壊しており，これに伴って作家の地位は大きく変動せざるをえなくなっている[23]。ユーモラスかつ孤高な語り手の姿は，たとえば街でサッカー・ワールドカップのドイツチームに熱狂して騒ぐ人々を避ける場面などでは，大衆と一線を画す知識人の地位との連続性もみられないわけではない。しかし彼が人々を導くことはない。それどころか自分がほとんど見向きもされない地味な旅人であることが時折自虐的に描かれる。

作家・知識人の役割という問題を介在させずに，フレキシブルな自己像へと至る模索の物語を語るのが，アンゲラ・クラウス（1950-）の小説『氷の上の夏』（1998）である。こちらの小説の語り手は作者のプロフィールとは重ならず，ビターフェルトの工場で長年働いた後，東ドイツ崩壊後に失業した女性である。東ドイツ文学史においてこの街の名は，「ビターフェルト路線」という1959年の政策と

結びついている。作家が工場などの生産の現場に入ることと，工場労働者も創作活動を行うこととが奨励された。この政策は5年後に撤回されたが，東ドイツの文学や映画には工場労働者がたびたび描かれてきた。この文脈から，『氷の夏』の語り手の設定は象徴的なものにみえる。単なる失業にはとどまらない，東ドイツの文化からの離脱という事態が示され，そこで人生についての語りが展開するのである。

　週ごとに人生を変える試みで忙しい。人生の新しい見方を考え出して，その見方で一週間生きてみる。(…)「人生なんてものの見方次第だ」という文章を読んだのだ。この文章が私の絶望的な状況を終わらせてくれた。それ以来毎週月曜になると新しい試みに挑戦している[24]。

アイデンティティの危機に陥った語り手は苦悩しながらこのような模索を繰り返す。自分の過去を捉え直し，工場労働者だった時には忘れていたエピソードを思い出す。中でも，かつてフィギュアスケートの選手になりたかったこと，もしかしたらそうなっていたかもしれないという可能性が意味を持ち始める。実現しなかったことが忘却に追いやられるのではなく，可能性として自己の中に含まれていくのだ。

失われた可能性を取り込み多層的な自己像を得るというプロセスは，夢と思われる場面の描写を通じて本格的に進行していく。物語後半の大部分が，非現実的な風景の中に登場した大型船に語り手が乗りこみ，そこで様々な乗客と会話する場面に費やされるのだ。どの乗客も語り手の過去の経験と関連する要素をもっており，語り手の分身のようである。乗客たちの間で対立が起こることもあるが，そうした矛盾や葛藤を含みもつ大型船のようなものとして，多面的な自己像のイメージが編成されていく。

3.4　歴史の偶有性の中で捉え直される自己（ヴォルフ）

　違う自分になっていた可能性や，意外な自分の発見は，クリスタ・ヴォルフ（1929-2011）最後の長篇小説『天使の街あるいはフロイト博士のコート』（2010）にもみられる。こちらの語り手は作者をモデルとしており，東ドイツ

(23) 作家の地位の変化に言及した先行研究：Klaus R. Scherpe, „Die Demission der Helden", Fabrizio Cambi / Alessandro Fambrini（Hrsg.）, *Zehn Jahre nachher. Poetische Identität und Geschichte in der deutschen Literatur nach der Vereinigung*, Trento: Dipartmento di Scienze Filologiche e Storiche, 2002, S. 11-27; Costabile-Heming / Carol Anne / Rachel J. Halverson / Kristie A. Foell, „‚Schreiber, was siehst du?'. Processing Historical and Social Change", dies.（Hrsg.）, *Textual Responses to German Unification. Processing Historical and Social Change in Literature and Film*, Berlin / New York: Walter de Gruyter, 2001. pp. 3-13; Arthur Williams, "Introduction. On Individuals, Identity and Innovation", Arthur Williams / Stuart Parkes（Eds.）, *The Individual, Identity and Innovation. Signals from Contemporary Literature and the New Germany*, Bern u. a.: Peter Lang, 1994, pp. 1-16.

(24) Angela Krauß, *Sommer auf dem Eis*, Frankfurt a. M.: Suhrkamp, 1998, S. 33-34.

出身の有名作家である。1990年代前半にアメリカのロサンジェルスに1年間滞在したことを，約15年が経ってから（つまり2000年代終盤の視点から）振り返って語るという形式で，物語は進む。

冒頭のアメリカ入国の場面では，東ドイツがもう存在しないにもかかわらず東ドイツのパスポートがまだ有効であることを語り手は空港で確認し，元東ドイツ市民としての意識を示している。彼女は1989年11月のデモで，東ドイツに残ろうと市民に呼び掛けた，いかにも東ドイツの知識人であった。しかしその数年後にアメリカに来てしばらくすると，東ドイツを懐かしく思わない自分に気が付く。

なぜ私はホームシックにならなかったのだろう。不自然ではないか。よその国にいるのに。私は心の中で考えた。大きなドイツに住みたいと願ったことは一度もない。私はさらに考えた。理性的にとはいかない。夜の思考は昼の思考とは違う色合いをしていて，意識の中へと入り込もうとしてくる——抜け道や，防御の薄いところを通って。意識は色々な反論をしてそれを妨げようとするが，飽き飽きする反論ばかりで微力である。私はあの小さいほうのドイツを本当に最後まで守ろうと，その存続を望んでいたのだろうか。あの国にはあらゆる欠点，それにそうだ，欠陥と失敗があって，そのうえ滅亡の予兆だって私は実は長いこと感じていたのにもかかわらず[25]。

1989年に東ドイツに残ろうと呼び掛けた語り手にとって，実は東ドイツの滅亡を前から予感していたような気がするとは，自分でも容易に認められるものではない。それは「夜の思考」とされたり，文法的に完全ではない文で語られたりしてようやく言葉になるのであり，滞在から15年経ってから語るという形式のうえにそれが成り立っている。

彼女はまた，有名作家としての自分を知らないアメリカ在住者たちと会話することを通じて，ドイツの文脈から離脱していく。動揺もあるが，西ドイツの批評家による彼女への批判がドイツの新聞を賑わせているという騒動と一定

の距離をおくこともできる[26]。その過程で様々な経験を思い出し，これまで忘れていたことにも気づくプロセスはしばしば，天使のモチーフをはじめとして作中で引用されるベンヤミンの想起のコンセプトと呼応する[27]。ここでの「天使の街」（Los Angeles）は想起を促す街であり，忘れていたことや自分の意外な一面に気づかされる場所なのだ。

語り手が宿泊している文化財団の寮で知り合ったペーター・グートマンという研究者は，ベンヤミンの「物語作者」や「歴史の概念について」を朗読したり引用したりする。彼の研究対象がベンヤミンであるのは明白に思われるが，彼はその名を出さず「私の哲学者」とだけいう。彼のいう「私の哲学者」は現実世界のベンヤミンとは異なり，戦後アメリカに住んでいた人物とされている。つまりこの小説の世界は，ベンヤミンが1940年にピレネー山脈で亡くなったという私たちの知っている現実世界ではなく，彼が亡命に成功した世界であり，失われた可能性に光が当たる世界なのだ[28]。現実には結実しなかった過去の可能性を救い出すという，ベンヤミンの歴史哲学と呼応する設定である。

グートマンとの対話は，語り手が人生の別の可能性に思い至るきっかけとなる。対話の中で彼女は，かつて1945年にポーランド領になった故郷を去ったとき，もう少し多く移動していたならば自分は東ドイツ市民にはなっていなかったと気づく。

もし私たちの乗っていた荷車を曳いていたあの領主所有の馬たちが，鞭うたれても進めなくなるほど疲れ果ててはいなかったならば，私は全く違う人生を生きることになっていただろう。私は違う人間になっていただろう。当時のドイツはそのような状況だった。偶然がひとの行く末を握っていたのだ[29]。

この想起の語りから立ち現れるのは，所属や属性が可塑的であるという感覚，そして他でありえた可能性を含み持つものとしての自己像である。グートマンに促されて語り手は，もし自分が西ドイツ市民になっていたとしたらどう

(25) Christa Wolf, *Stadt der Engel oder The Overcoat of Dr. Freud*, Frankfurt a. M.: Suhrkamp, 2011, S. 204.
(26) 作中では批評家らの固有名は出されないものの，「文学論争」として知られる実在の論争と関連し，シュタージ関与をめぐる自らの記憶の欠損に語り手が悩む記述も度々登場する。
(27) Aija Sakova-Merivee, „Die Ausgrabung der Vergangenheiten in ‚Stadt der Engel oder The Overcoat of Dr. Freud'", Carsten Gansel (Hrsg.), *Christa Wolf. Im Strom der Erinnerungen*, Göttingen: V&R, 2014, S. 245-256.
(28) この作中人物は1979年に社会に絶望して自殺したとされている（S. 244）。自殺という点は現実のベンヤミンを思わせるが，1979年に亡くなった亡命知識人という点ではマルクーゼの経歴もこの人物の設定に組み込まれているという解釈もある。Michael Haase, „Christa Wolfs letzter ‚Selbstversuch' – Zum Konzept der subjektiven Authentizität in ‚Stadt der Engel oder The Overcoat of Dr. Freud'", Gansel (Hrsg.), *Christa Wolf. Im Strom der Erinnerungen*, S. 215-230.
(29) Wolf, *Stadt der Engel*, S. 242-243.

なっていたか，ひとしきり考える。少女時代に希望していた教師の職についたかもしれない，今の夫には出会っていなかっただろう，と想像を展開する。だが彼女が今こうして歴史の偶有性に想像をめぐらせるのは，東ドイツ市民となり東ドイツとその崩壊を経験したからにほかならない。

4　おわりに

　ポスト東ドイツ文学の語り手たちは，ひとりで東ドイツを想起している。会話が描かれるとき，会話の相手は東ドイツの過去を共有していない。ドラーヴェルトの描くシベリア旅行もローゼンレッヒャーの描くハルツ山地の旅も，ひとり旅であった。ローゼンレッヒャーの語り手は妻を，ヴォルフの語り手は夫を自宅に置いて，わざわざひとりで山地に，あるいはアメリカに出かけている。ザイラーの「トゥルクシブ」では通訳や領事が同行していたものの，ボイラーマンに話しかけられたのは語り手ひとりだけで，彼が東ドイツの想起を同行者と分かち合うことはない。それどころか彼はそもそも東ドイツの想起をまとまった文の形で説明することさえできない。クラウスの小説における元工場労働者の語り手は，草地に布を敷いて座り，そこから工場を眺めながら語っていたのだが，実は横に恋人の男性がいると言い添えられている。だがその恋人は物語の最初から最後まで寝ているだけで，ひとことも話さない。語り手の人生観の再編は，かなりの部分が夢の語りを通して展開する。同じ記憶，同じ対象を誰かと共有するという行為から離れていくような想起の形式と機能が，ポスト東ドイツ文学を特徴づけている。ひとりで想起するからこそ，元東ドイツ市民でありまだ連邦共和国の市民ではないという分裂した状態が増幅し，忘れたいのに忘れられないという葛藤や，東と西の記号に触れては離れるという振舞い，そして別の自分になっていた可能性，といった自己の二面性，多面性，流動性に焦点があたっていく。ひとりの中に潜む複数性が姿を現すのだ。

　東ドイツの消滅という出来事によって個人のアイデンティティが揺るがされるということは受動的な経験であり，本稿で扱ったどのテクストの語り手も，動揺し，困惑し，翻弄されている。しかし文学作品は，転換期の社会における人々の混乱や苦悩を単に反映するものではない。言及した全てのテクストにおいて，可塑的，あるいは多面的で流動的な自己像が創造的に作り出される様子や，ときにそれが積極的に選び取られ，解放感や希望と結びつく局面もみられた。そのようなプロセスは，言葉が別の言葉を誘発するような詩的言語の運動や先行テクストの変奏によって，あるいは夢について語ったり夢を見ているかのようなモードで語ったりするといった語りの方法によって，駆動され，促進されていた。そのようにしてポスト東ドイツ文学における想起の語りは，東ドイツ・アイデンティティというカテゴリーを，さらには集団的アイデンティティ一般を幾重にも問いに付し，解体していく。オスタルギーでもなく，「西側」への文化的同化を体現するのでもなく，ひとつの立場やひとつの価値には統合されないという意味での複数性を紡ぐ，そのような言説群としてこの文学は，東ドイツ消滅後の文化的文脈を構成しているのだ。

公募論文

ドイツにおける民主主義の伝統と歴史の活用
——連邦大統領ハイネマンの取り組みに着目して

大下理世

1 はじめに

ドイツにおけるナチ時代の「負の過去」の伝承をめぐる様々な営みは,「想起の文化 (Erinnerungskultur)」と総称され,その問題点も含めて研究対象として盛んに論じられている[1]。他方で,こうした「想起の文化」に共通する,現在の問題意識に基づき過去を参照する行為は,「負の過去」の伝承にだけみられる現象ではない。本稿は,旧西ドイツ（以下,連邦共和国；1949 〜 1990）においてドイツ史に内在する民主主義の伝統を想い起こすよう国民に求めた第三代連邦大統領グスタフ・W・ハイネマン[2]（1899 〜 1976；在職期間 1969 〜 1974）に着目することで,特定の目的のため歴史的事象を活用する試みについて検討する。

ハイネマンの演説に関して歴史への言及に着目した従来の研究では,ドイツ帝国創設 100 周年記念演説（1971 年 1 月 17 日）とそれに対する反響が主に着目されてきた。そこでは,ハイネマンが,ドイツ帝国の創設（1871）をドイツの国民国家の伝統として理想化するナショナリズムから距離をとったこと,他方で,「挫折した革命」として位置づけられていた 1848/49 年革命を連邦共和国の民主主義の起源と位置づけたことが注目されている[3]。

これらの先行研究は,ハイネマンの歴史に関する演説を政治・外交的な観点から検討することで,ハイネマンについて,東西冷戦下の東方政策を背景とする連邦共和国の歴史的自己理解の変遷という大きな文脈に位置づけて論じた点で高く評価できる。だが,これらはハイネマン個人に着目した研究ではないため,ハイネマンが 1848/49 年革命をドイツの民主主義の起源に位置づけた動機について十分に議論していない。その結果,結論を先取りすると,連邦共和国の民主主義の発展に寄与したいというハイネマンの意図が看過されているのである。そもそも 1848/49 年革命とは,担い手や目標が異なる諸運動が同時期に展開された多義的な歴史的事象である。したがって,1848/49 年革命に着目したハイネマンの意図を明らかにするには,どの事象をいかに語ったのかも検討する必要があるだろう。そのためには演説だけでなく,ハイネマンがその設立に関わったラシュタットの歴史博物館「ドイツ史における自由を求める運動のための想起の場」（以下,ラシュタット博物

（1）石田勇治／福永美和子編『現代ドイツへの視座——歴史学的アプローチ1. 想起の文化とグローバル市民社会』（勉誠出版, 2016 年）; Aleida Assmann, *Das neue Unbehagen an der Erinnerungskultur. Eine Intervention*, München, 2013 [アライダ・アスマン（安川晴基訳）『想起の文化——忘却から対話へ』（岩波書店, 2019 年）].

（2）ナチ時代の告白教会や戦後の福音主義教会などにおけるハイネマンの教会活動については, Werner Koch, *Heinemann im Dritten Reich*, Wuppertal, 1972; Jorg Thierfelder / Matthias Riemenschneider (Hrsg.), *Gustav Heinemann. Christ und Politiker*, Karlsruhe, 1999 ; 河島幸夫「責任を負って生きるキリスト者——政治家ハイネマンに学ぶ」『政治と信仰の間で——ドイツ近現代史とキリスト教』（創言社, 2005 年）。ハイネマンとドイツ問題およびアデナウアーとの対立については, Diether Koch, *Heinemann und die Deutschlandfrage*, München, 1972 ; 伊藤康夫「グスタフ・W・ハイネマンと全ドイツ国民党」,『成蹊人文研究』, 第7号 (1999) が詳しい。また,ドイツ現代史研究において,ハイネマンの大統領就任をめぐっては,ブラント政権発足と並ぶ「新たな時代への移行」,政治的風土の「変容の象徴」という点で合意が形成されている。Christoph Kleßmann, *Zwei Staaten, eine Nation. Deutsche Geschichte 1955-1970*, Göttingen, 1988 ; Bernd Faulenbach, *Das sozialdemokratische Jahrzehnt. Von der Reformeuphorie zur neuen Unübersichtlichkeit. Die SPD 1969-1982*, Bonn, 2011. これら個別研究に加えて近年その政治思想と活動の全体像を扱うような伝記, 個人史研究が刊行された。Uwe Schütz, *Gustav Heinemann und das Problem des Friedens im Nachkriegsdeutschland*, Münster, 1993 ; Jörg Treffke, *Gustav Heinemann. Wanderer zwischen den Parteien. Eine politische Biographie*, Schöningh, 2009 ; Thomas Flemming, *Gustav W. Heinemann. Ein deutscher Citoyen*, Essen, 2013.

（3）H・A・ヴィンクラー（後藤俊明他訳）『自由と統一への長い道——ドイツ近現代史』（昭和堂, 2008 年）, 262 頁 ; Edgar Wolfrum, *Geschichtspolitik in der Bundesrepublik Deutschland. Der Weg zur bundesrepublikanischen Erinnerung 1948-1990*, Darmstadt, 1999 ; Ute Frevert, „Annäherung wider Willen. Der Kampf um die deutsche Geschichte", in: Aleida Assmann / Ute Frevert, *Geschichtsvergessenheit Geschichtsversessenheit. Vom Umgang mit deutschen Vergangenheiten nach 1945*, Stuttgart, 1999, S. 234-257 ; 石田勇治『過去の克服——ヒトラー後のドイツ』（白水社, 2002 年）; 高橋秀寿『時間／空間の戦後ドイツ史——いかに「一つの国民」は形成されたのか』（ミネルヴァ書房, 2018 年）。

館）と歴史論文コンクール「グスタフ・ハイネマン賞」（以下，「ハイネマン賞」）の設立過程についての史料を検討することが有意義であろう[4]。

　本稿では，まず，ハイネマンが民主主義に関していかなる問題意識のもとどのような問題提起をしていたのか検討する。次に，こうした課題にハイネマンが歴史を参照することでいかに取り組もうとしたのかについて，ハイネマンの意図が同時代にいかに受容されたかも視野に入れながら検討する。以上の議論を通じて，本稿では，ハイネマンが「自由を求める運動（Freiheitsbewegung）」を取り上げることで連邦共和国の民主主義の発展に向けて国民にいかなる呼びかけをしたのか，そして，ハイネマンの問題意識に基づいてどのように歴史が参照されたのか明らかにすることを目的とする。その際，本稿では，ラシュタット博物館と「ハイネマン賞」の設立の経緯および演説に対する反響をまとめた在コーブレンツ連邦文書館所蔵の連邦大統領府文書およびボンのフリードリヒ・エーベルト財団所蔵のハイネマンの個人文書を使用する。

2 民主主義の現状に関する課題

　ここでは，ハイネマンが民主主義をどのようなものとして理解し，いかなる問題提起をしたのか検討したい。1960年代を通じて社会の様々な領域で改革が要求される中，基本法に規定された代議制民主主義への不満も高まったこと

を背景に，1969 年 10 月に発足したブラント政権は包括的な内政改革を行った。「もっと民主主義を」という標語に象徴されるブラントの民主化改革の根底にある「民主化」とは，既存の代議制民主主義を前提にしながら，これを担う人々の，人権と議会制民主主義を尊重する意識を育むというものであった[5]。このように政治制度を越えた民主主義理解に対しては野党政治家や知識人から批判も寄せられた中で[6]，ハイネマンはブラントと問題意識を共有していた。ハイネマンもまた，「基本法の秩序は完全ではありません。この秩序が志向する，自由な民主主義，社会的正義，法治国家が機能するには，国家や社会において，共同決定を行う一人前の市民がこれらの実現のために日々努力し続けることが必要とされています」と述べたように，基本法に規定される代議制民主主義という政体を前提としながら，それを担う国民の意識・振る舞いを重視していた[7]。ここでハイネマンが期待したのは，公的な問題を自身の問題と認識して責任を持って自発的に行動を起こすことであり，同時にそれらが，基本法の枠内で行われる，ということであった[8]。

　ハイネマンがこうした国民の意識改革という課題を掲げた背景には，懸念となる人たちの存在が想定された。まずは，国家権力に従順な臣民意識をもった「官憲国家に執着」した人々である。臣民意識はドイツの歴史に深く根差しナチズムの台頭の原因となっただけでなく，連邦共和国の一部の国民の意識になお残存しているというのがハイネ

（4）1848/49 年革命の 125 周年を記念して 1974 年に設立されたラシュタット博物館では常設展示の充実化が図られ，様々な特別展示が企画され，毎年約 20,000 ～ 25,000 人程度の訪問者数を記録している。Henning Pahl, „Die Erinnerungsstätte für die Freiheitsbewegungen in der deutschen Geschichte. Eine Sonderaufgabe des Bundesarchivs", in: Angelika Menne-Haritz / Rainer Hofmann (Hrsg.), *Archive im Kontext. Öffnen, Erhalten und Sichern von Archivgut in Zeiten des Umbruchs*, Düsseldorf, 2010.「ハイネマン賞」は「連邦大統領賞」と後に名称が変更され，今日もケルバー財団によって継続され，これまでに 146,500 人以上ものコンクール参加者を記録している。「連邦大統領賞」に言及している邦語文献として以下のものが挙げられる。飯田収治「戦後ドイツにおける現代史教育と『過去の克服』―― 1980 ～ 83 年の『大統領懸賞付きドイツ史生徒コンクール』を中心に」，『人文研究』，第 48 号（1996）；石田『過去の克服』，242 頁。
（5）1960 年代の社会と価値観の変容，それに伴う民主主義理解の変化については，以下参照。Ulrich Herbert (Hrsg.), *Wandlungsprozesse in Westdeutschland. Belastung, Integration, Liberalisierung 1945 – 1980*, Göttingen, 2002；Axel Schildt / Detlef Siegfried / Karl Christian Lammers (Hrsg.), *Dynamische Zeiten. Die 60er Jahre in den beiden deutschen Gesellschaften*, Hamburg, 2000；Matthias Frese / Julia Paulus / Karl Teppe, *Demokratisierung und gesellschaftlicher Aufbruch. Die sechziger Jahre als Wendezeit der Bundesrepublik*, Paderborn, 2003；Kurt Sontheimer, *So war Deutschland nie. Anmerkungen zur politischen Kultur der Bundesrepublik*, München, 1999, S. 176. なお，制度としての民主主義を担う国民一人一人の判断力，行動力を育成することを目的とした政治教育における民主主義の理解に関して，近藤孝弘『ドイツの政治教育――成熟した民主社会への課題』（岩波書店，2005 年）；名嶋義直／神田靖子編『右翼ポピュリズムに抗する市民性教育――ドイツの政治教育に学ぶ』（明石書店，2020 年）参照。
（6）Moritz Scheibe, „Auf der Suche nach der demokratischen Gesellschaft", in: Herbert, *Wandlungsprozesse*, S. 245-277；Karl Dietrich Bracher, „Politik und Zeitgeist. Tendenzen der siebziger Jahre", in: Karl Dietrich Bracher / Wolfgang Jäger / Werner Link, *Die Republik im Wandel 1969-1974. Die Ära Brandt (Geschichte der Bundesrepublik Deutschland, Bd.5,1)*, Stuttgart, 1986.
（7）Gustav W. Heinemann, „Antrittsrede im Deutschen Bundestag (1.7.1969)", in: Dolf Sternberger (Hrsg.), *Reden der deutschen Bundespräsidenten Heuss, Lübke, Heinemann, Scheel*, München, 1979, S. 148-149.
（8）Heinemann, „Der mündige Bürger in Staat und Gesellschaft (11.2.1973)", in: Gustav Heinemann, *Präsidiale Reden. Mit einer Einleitung von Theodor Eschenburg*, 2. Aufl., Frankfurt am Main, 1977, S. 206-212. ハイネマンは，公的な案件に自発的に責任を持って関わる市民が増えたことで民主主義が「下から」も新たな刺激を得ていると現状に肯定的な評価を下してもいた。その例としてハイネマンが挙げたのが，1970 年代から急速に普及した，市民や住民による様々な運動団体，「ビュルガー・イニシアティヴ（Bürgerinitiative）」の存在である。

マンの認識であった[9]。ハイネマンは, 臣民意識を克服し, 「自ら決定し責任を担う存在」となることを国民に呼びかけた[10]。そして, 彼は, 大連立政権期 (1966 〜 1969) に生じた議会外反対運動の過激化を招いた急進派にも呼びかけた。ハイネマンは大統領在職期間を通じて若者に対して暴力の行使を戒め, 基本法の枠内で漸進的な改革に向けて行動すべきということを訴えていた[11]。

こうした者たちも含めて, あらゆる国民が基本法で保障された権利と義務への理解を深めることが不可欠と考えたハイネマンが拠り所にしたのがドイツの民主主義の伝統, すなわち, ドイツ史上における自由を求める運動であった[12]。このとき自由を求める運動とは何が想定され, こうした歴史的事象を参照することでどのようにして基本法の理念の浸透が可能になると考えたのか, 次章で検討する。

3 ドイツ史における民主主義の伝統

3.1 自由を求める運動への注目

ハイネマンは大統領在職期間中, ドイツ史における自由を求める運動を国民に周知させることに尽力した。その際, この歴史的事象について演説で言及するだけでなく, ラシュタット博物館と「ハイネマン賞」の設立に関わった[13]。1970 年のブレーメンでの演説では, こうした取り組みの前提となるハイネマンの問題意識が語られた。ここで彼は, 連邦共和国に生きる自分たちにとって想起するに

ふさわしい出来事としてドイツ史上に見られる自由を求める運動を挙げた[14]。

ドイツ史における自由を求める運動とは何を指しているのか。演説内容を検討すると, 中世以降の各地での農民運動や 19 世紀のハンバッハ祭, 1848/49 年革命などが挙げられている。そして, ハイネマンはこれらの運動を, 身分や立場を越えたあらゆる人々によって担われたお上に抵抗する運動, 特に, 現在の基本法で保障される「自由な秩序への萌芽」といえる運動として捉えていたことが分かる[15]。こうした運動の中でハイネマンが最も重視したのが, 1848/49 年革命末期のバーデンの蜂起, ラシュタット抵抗運動であった。このことは, ラシュタット博物館の展示構想からもうかがうことができる[16]。ラシュタット博物館は, 連邦内務省管轄のコーブレンツ連邦文書館がその展示内容, 運営を管轄したが, 常設展示の構想を決めるにあたって, ハイネマンの意見が反映された[17]。最終的な常設展示における, 「I. 絶対主義からドイツ連邦まで」, 「II. 三月前期」, 「III. 1848/49 年の革命」, 「IV. 1850 年代の反動」, 「V. 1849 年の帝国憲法から 1949 年の基本法まで」という構成は, 展示の重点を「三月前期」と「1849年の出来事」, 特にバーデンの蜂起に置くというハイネマンの希望が取り入れられたものであった[18]。

ハイネマンは, 連邦各州の訪問時に郷土資料館を訪れる中で, こうした運動や運動を担った人々についてほとんど記録されていないこと, あるいは, 運動を鎮圧した当局の勝者としての視点から単に「失敗した運動」と評価されて

(9) Heinemann, „Ein Jahr im Amt (29.6.1970)“, in: Gustav W. Heinemann, *Allen Bürgern verpflichtet*, Frankfurt am Main, 1975, S. 158.
(10) Heinemann, „Antrittsrede im Deutschen Bundestag Bonn (1.7.1969)“, in: Sternberger, *Reden der deutschen Bundespräsidenten Heuss, Lübke, Heinemann, Scheel*, S. 148.
(11) Heinemann, „Zwei Jahre im Amt (2.7.1971)“, in: Presse- und Informationsamt der Bundesregierung (Hrsg.), *Gustav W. Heinemann. Reden und Interviews (II)*, S. 164.
(12) Heinemann, „Abschiedsrede im Deutschen Bundestag (1.7.1974)“, in: Sternberger, *Reden der deutschen Bundespräsidenten Heuss, Lübke, Heinemann, Scheel*, S. 204 ; BArch Koblenz, B122, 17717. こうした動機からハイネマンはケルバー財団の提案に賛同し, 「ハイネマン賞」の設立に至った。なお, 1971 年からは連邦政治研究センターによるコンクールが開催された関係で, 「ハイネマン賞」の在り方について構想を協議する際には, 同センター長ハンス・シュテルケンも招き, 結果的に歴史論文コンクールという形をとった。
(13) 本稿で詳細に述べることができないが, ラシュタット博物館と「ハイネマン賞」の設立およびその他の歴史的記念日に関するハイネマンの演説の相談役を主に務めていたのがハイデルベルク大学教授ヴェルナー・コンツェとシュトゥットガルト大学歴史学教授のエーバーハルト・イェッケルであった。自ら社会民主党員として活動し, ハイネマンの取り組みを全面的に支持したイェッケルとは異なり, コンツェは歴史認識に関してハイネマンと認識を異にしていた。
(14) Heinemann, „Geschichtsbewusstsein und Tradition in Deutschland (13.2.1970)“, in: Heinemann, *Allen Bürgern verpflichtet*, S. 30-35.
(15) Ebenda ; Gustav W Heinemann, „Die Freiheitsbewegungen in der deutschen Geschichte“, in: *Geschichte in Wissenschaft und Unterricht*, 25 (1974), S. 601-606.
(16) 1969 年末に連邦大統領選出前のハイネマンが, ベルリン自由大学政治学教授のアルヌルフ・バーリングに相談し, バーリングに紹介された歴史家イェッケルとの 1969 年 4 月の協議を機に計画が具体化していった。An Heinemann von Arnulf Baring, 1.12. 1969, in: BArch Koblenz, B122, 6699.
(17) 博物館の常設展示の構想を担当した作業グループについて, メンバーの一人による以下の寄稿に詳しい。Peter Bucher, „Eröffnung der Aussenstelle Rastatt des Bundesarchivs. Erinnerungsstätte für die Freiheitsbewegung in der deutschen Geschichte“, in: *Der Archivar* (27), 1974, S. 445-448.
(18) An den Bundesminister des Innern, 8.5.1973, in: BArch Koblenz, B122, 6738. コーブレンツ連邦文書館作成の展示のカタログ Bundesarchiv, *Erinnerungsstätte für die Freiheitsbewegungen in der deutschen Geschichte. Katalog der ständigen Ausstellung*, Koblenz, 1974 参照。

いることを問題視した(19)。こうしたハイネマンの問題意識は同時代の一部の歴史家にも共有された。その一例が，ドイツ各地の研究機関に所属する研究者による共同研究プロジェクト「ドイツ史における政治・宗教・社会的自由をめぐる諸問題」が構想されたことである(20)。同プロジェクトの研究会では，ハイネマンのブレーメンでの演説を根拠に挙げ，「ドイツ史における自由の発展やその障害という問題は，私たちの研究会で初めてドイツの歴史研究の対象となった訳ではない。だが，様々な研究の萌芽は見られたものの，常に周縁的に扱われるだけであった。（・・・）連邦大統領の演説がこうした状況を（研究者に――著者）気づかせ，この3年間に連邦共和国で，こうした問題関心を持った研究施設の設立や研究会が行われるきっかけとなった」とハイネマンの問題意識に賛同した(21)。

　上述の歴史家の問題意識がどの程度妥当であるかについてここでは検証できないが，いずれにしても，ハイネマンは，自由を求める運動を注目されるにふさわしい出来事であると認識していたのである。むろん，こうした運動が失敗に終わったことは，ハイネマンも否定しない。その結果として，西欧諸国と異なり「ドイツ人は自身の力で自由と民主主義を達成するに至らなかった」という認識を持っていた(22)。

3.2　基本法の価値の社会的浸透

　ハイネマンがなぜ自由を求める運動，特にバーデン蜂起とラシュタット抵抗運動を積極的に評価したのか。1848/49年革命においてフランクフルト国民議会の憲法制定の試みが挫折した後，ザクセン，バーデン，プファルツなどでは，この帝国憲法を支持する「帝国憲法闘争」が展開された。その際，最後までそして最も広範に武装蜂起が

展開されたのが，バーデンである。最終的に1849年7月にラシュタット要塞にこもった革命軍がプロイセン軍に鎮圧されたことで，1848/49年革命は終わった。

　ハイネマンはこれらの出来事について幼少期から関心を寄せていた。ハイネマンの曽祖父の二人の兄弟がバーデン蜂起に加わり，その一人はラシュタット要塞での抵抗運動で負った傷が原因で亡くなったのである。共和国の樹立を求めて戦った先祖の話を聞いて育ったハイネマンにとって1848/49年革命とは，共和国の樹立を求めた急進民主派の運動を象徴するものであった(23)。

　このように以前から関心を寄せていたバーデン蜂起とラシュタット抵抗運動を，ハイネマンは連邦共和国の基本法と結びつけた。1974年6月のラシュタット博物館開会式での演説でハイネマンは，以下の通りにはっきりと述べた。

　フランクフルトのパウロ教会の国民議会が帝国憲法を可決したのは1849年でした。この憲法は，ドイツ全土の最初の民主的な憲法でした。それは，民衆運動が武器を手に守った唯一の憲法です。この憲法のために，特にここラシュタットでは，男性たち，それどころか女性たちも闘い，命を落としました。（・・・）当時，統一を妨害し，民主的な自由権を鎮圧したものが本当に勝者なのでしょうか？（・・・）今日私たちが自由で民主的な基本秩序と呼ぶもののためにかつて戦った者たちが勝者ではないのでしょうか？（・・・）(24)

　このようにハイネマンは，バーデン蜂起を鎮圧したプロイセン軍を批判し，バーデン蜂起の最後のラシュタット要塞での抵抗運動に積極的な評価を下した。その論拠として

(19) Heinemann, „Geschichtsbewusstsein und Tradition in Deutschland (13.2.1970)“, S. 30-35. 1848/49年革命に関して連邦共和国の歴史学では，フランクフルト国民議会など穏健自由主義者による議会制度設立の試みが注目される一方で，革命前後の労働者や民衆の動きに注目されるのは1960年代以降を待たなければならなかった。したがって，バーデン蜂起，ラシュタットの抵抗運動が注目されてこなかったというハイネマンの認識は歴史学の研究動向に沿っていたといえる。ドイツにおける1848/49年革命に関する研究動向について，増谷英樹「（1848年革命150周年）150周年を迎えた1848/49年革命研究――ドイツの研究を中心に」『歴史評論』第584号（1998）参照。
(20) この研究プロジェクトでは，「A：市民の自由と社会的緊張関係の空間としての中世末期の都市」，「B：宗教対立の時代の宗教的マイノリティ」，「C：1848年革命以前の市民による運動」，「D：解放を目指す原動力という観点から考察する労働運動」の4つの問題群を通じてドイツ史における自由の発展やそれに対する障害という問題を考察することが目的とされた。この研究プロジェクトは財源を確保できず最終的に頓挫したが，ハイネマンの呼びかけが地域を越えた研究者ネットワーク形成のきっかけとなった事例である。An das Bundespräsidialamt, 9.5.1972, in: BArch Koblenz, B122, 6699.
(21) An den Chef des Bundespräsidialamtes Herrn Staatssekretär Spangenberg, 19.4.1971 ; 9.5.1972, in: Ebenda.
(22) Heinemann, „Ansprache zum 25.Gedenktag des 20. Juli 1944 in Berlin Plötzensee (19.7.1969)“, in: Heinemann, *Allen Bürgern verpflichtet*, S. 94. このような認識は，1947年4月のノルトライン・ヴェストファーレン州議会選挙での選挙演説でも既に述べられていた。Heinemann, „Wahlrede zur Landtagswahl (4.1947)“, in: Gustav W Heinemann, *Es gibt schwierige Vaterländer.... Aufsätze und Reden*, München, 1988, S. 52-53.
(23) ハイネマン家に残された本人の手記によると，父方の曽祖父ヨハネス・クリストフ・シリングも，ヘッセンの都市エシュヴェーゲの広場で自由と統一のシンボルである黒赤金の三色旗を掲げてデモを行ったという。Helmut Lindemann, *Gustav Heinemann. Ein Leben für die Demokratie*, München, 1978, S. 24.
(24) Heinemann, „Die Freiheitsbewegungen in der deutschen Geschichte“, S. 602-603.

は以下にまとめられる。

第一に，ハイネマンは，フランクフルト国民議会で制定された帝国憲法，特にその基本権を，基本法の理念，すなわち人権の尊重と議会制民主主義に立脚する「自由で民主的な基本秩序（freiheitliche demokratische Grundordnung）」[25]の起源とみなした。このことは，先述のラシュタットの歴史展示の構成からもうかがわれる。「V. 1849年の帝国憲法から1949年の基本法まで」という展示区分はハイネマンの希望により設けられたもので，フランクフルト国民議会による帝国憲法，ヴァイマル憲法，基本法の各憲法の条文，特にそこで認められた様々な自由権が並列されて互いにいかに共通しているか示された。ここには，基本法に規定される基本権が帝国憲法，ヴァイマル憲法から引き継がれたことを明示する意図があった[26]。

第二に，ハイネマンは，バーデン蜂起について，帝国憲法を擁護するために幅広い層の民衆が参加したことに着目した。1849年5月の第三次バーデン蜂起は，共和国の成立を掲げた急進民主派によって主導され，他地域の憲法擁護闘争よりも多様な層の多くの民衆が参加したことで知られる。自由を求める運動のこうした側面を強調することが現在にとって何を意味するかについて，ハイネマンは，1973年12月上旬，「ハイネマン賞」の募集要項配布に際しての記者会見で明確に以下のように述べた。

民主主義は敗戦で他国によって持ち込まれたにとどまらず，私たちドイツ人の歴史の中にも民主主義や自由，社会的正義を求める意志が存在しました。私たちの先祖や彼らが残した足跡は称揚されるべきものだということを意識しなければなりません[27]。

このようにハイネマンは，連邦共和国の民主主義，すなわち，基本法で保障される自由権や議会制民主主義は決してドイツに馴染みがないものなどではなく，ドイツの歴史に独自の起源があることを示した。現在生きる人々に，最終的に鎮圧され犠牲も伴った1848/49年革命末期の民衆運動を想い起こすこと，そして，帝国憲法から引き継いだ基本法を尊重すべきであることという要請を発したのである[28]。

ハイネマンが基本法の尊重を訴える際に1848/49年革命末期の民衆運動を参照にしたことにはいかなる特徴があるのか。戦後の公的な記念式典で1848/49年革命がドイツの民主主義の伝統として位置づけられる場合，注目されたのは主にフランクフルト国民議会であった[29]。このことは，ハイネマンと同様に歴史的事象を参照することで民主主義の現状について語った初代連邦大統領テオドーア・ホイスも同様であった。ホイスは，「農民戦争以来の自由の歴史は敗北の歴史」だとドイツ史上の自由を求める運動の「失敗」の側面を強調し，この「失敗」をドイツで民主主義が十分に受容されない原因であると評価した[30]。その代わりにホイスが言及した歴史的事象として，1848年のフランクフルト国民議会，そして，19世紀初頭のシュタインの改革による自治制度（Selbstverwaltung）が挙げられる[31]。このように，当時の市民層によって担われた議会や制度をホイスが引き合いに出したのに対して，ハイネ

(25) 基本法の第18条，第21条などに明記される「自由で民主的な基本秩序」という概念の内容は基本法において規定されていないが，1952年の連邦憲法裁判所による社会主義帝国党（SRP）の違憲判決で示された，人権の尊重，国民主権，権力分立，複数政党制などを含意すると理解されている。Sarah Schulz, „Vom Werden der fdGO. Das Verbot der Sozialistischen Reichspartei von 1952", in: *Standpunkte*, 7 (2011), S. 1-6.
(26) Vermerk, 8.4.1974, in: BArch Koblenz, B122, 6739.
(27) Bundespräsident Dr. Gustav W. Heinemann zu seinem ausgeschriebenen Schülerwettbewerb, 4.12.1973, in: BArch Koblenz, B122, 17717.
(28) こうしたハイネマンの問題意識は，ラシュタット博物館の常設展示のカタログの中でも，19世紀の自由を求める運動を扱う理由として，基本法によって保障されている自由の権利が歴史上どのように獲得されたのかを示すという問題意識が明確に書かれていた。Bundesarchiv, *Erinnerungsstätte für die Freiheitsbewegungen in der deutschen Geschichte*, S. 5-7.
(29) 第二次世界大戦後の両ドイツにおける1848年革命の公的記念式典と同時代の受容については以下参照。Claudia Roth, „Das trennende Erbe. Die Revolution von 1848 im deutsch-deutschen Erinnerungsstreit 100 Jahre danach", in: Heinrich August Winkler, *Griff nach der Deutungsmacht. Zur Geschichte der Geschichtspolitik in Deutschland*, Göttingen, 2004, S.209-229 ; Claudia Klemm, *Erinnert-umstritten-gefeiert. Die Revolution von 1848/49 in der deutschen Gedenkkultur*, Göttingen, 2007. また，政治教育を担ってきた連邦政治教育センターが，左右急進主義者から議会制民主主義を擁護することを目的に注目した反ナチ抵抗運動については，ラシュタット博物館でも扱うことを視野に入れたが，常設展示はハイネマンの意思で19世紀を中心とし，後に反ナチ抵抗運動を特別展示として扱った。Vermerk, 8.5.1973, in: BArch Koblenz, B122, 6738.
(30) ホイスと1848年革命については以下の文献を参照。ヒルデガルト・ハム＝ブリュッヒャー，（関口宏道訳）『テーオドア・ホイスにみるドイツ民主主義の源流』（太陽出版，1990年）; Peter Merseburger, *Theodor Heuss. Der Bürger als Präsident. Biographie*, München, 2014.
(31) ホイスは，1947年にシュトゥットガルト工科大学の歴史学の客員教授にもなった。そして，生涯を通じて歴史に関する多くの論考を寄稿している。ホイスの歴史に関わる発言とその意図については，以下参照。Tobias Hirschmüller, *Der Liberale und die Vergangenheit. Theodor Heuss und das deutsche Geschichtsbild*, Berlin, 2015 ; Matthias Rensing, *Geschichte und Politik in den Reden der deutschen Bundespräsidenten 1949-1984*, Münster, 1996.

マンは，より広範囲の多様な層の人々に担われた民衆運動に連邦共和国の民主主義の起源を求めたのである。その背景には，政治制度としての議会制民主主義が安定して機能する一方で，代議制民主主義を担うあらゆる国民の意識を変革することが求められたという時代状況があった。

3.3　同時代の反応──連邦大統領府宛ての手紙を中心に

　自由を求める運動をドイツの民主主義の伝統と位置づけ基本法の価値の浸透を図ったハイネマンの発言は同時代人にいかに受容されたのか。ハイネマンが自国史，特にビスマルクのドイツ統一に批判的な見解を示したドイツ帝国創設100周年記念演説（1971年1月）をめぐっては全国紙で読者欄が設けられ盛んに議論が展開された[32]。それに対して，自由を求める運動を積極的に評価したハイネマンの発言は大きな反発を生まなかったことにより，その分メディア上での注目度は比較的低くなったといえる。

　先述のブレーメンでの演説に対しては，ハイネマンが各地域の民衆運動の歴史を掘り起こしたことに肯定的な投書が連邦大統領府宛に届いた[33]。だが，基本権についての理解を深めるというハイネマンの意図が十分に伝わったとは必ずしもいえない。このことは，連邦大統領府宛てに届いた批判的な指摘からもうかがわれる。ハイネマンが，バーデン蜂起とラシュタット抵抗運動という武力による革命擁護の運動を肯定的に評価したことで，議会外反対派の暴力行使が助長され，その活動が活気づけられると危惧されたのである。こうした批判に対してハイネマンは積極的に応答した。ハイネマンは，バーデン蜂起に関してその武力行使については直接意見を述べないものの，その目的は国家転覆ではなく，「正義，自由，人権」であったことを強調した。そして，自身が民衆運動を人々に周知させた理由について，基本法の価値の浸透のためであると訴えた[34]。また，ハイネマンは，1970年代前半当時に過激化した議会外反対派による「無秩序な行動を奨励」するため

歴史に言及したのでは決してないこと，そして，これまで折に触れて若者に対して，基本法の「自由で民主的な，社会的な法治国家の枠内」で，「漸進的な改革に取り組むこと」を要請してきたというその立場を明確にした[35]。

　このようにハイネマンの意図が十分に伝わらなかったことは，ハイネマンが一つの演説の中で民主主義に関する自身の問題意識と自由を求める運動との関係を十分に説明していないこと，そして特に，ハイネマンの歴史の解釈にもよるだろう。演説からうかがわれるようにハイネマンは，「自由を求める運動」，「民衆運動」とそれを弾圧する「官憲国家」，「お上」という二項対立の図式で歴史を捉え，前者の問題点を指摘することはなくこれを現在の民主主義，特に基本法に直接つながるものとして肯定的に描いたのである。同時代にこのことに危惧を示したのが，歴史家であった。ケルン大学の歴史学教授テオドーア・シーダーは，1970年2月の寄稿文，「ハイネマンは正しいのか──私たちの不足した歴史意識について行われた演説に向けて」の中で，歴史への関心が薄れる時代にハイネマンが一般国民に向けて歴史の重要性を提起したことを評価した上で，歴史の一部分を切り取って今日の起源，伝統として評価することの是非を問題にした[36]。同様の批判は同時代，ラシュタット博物館の展示構想，すなわち，ハイネマンの意図が反映された箇所に対して他の歴史家によってもなされた。歴史的事象と基本法とを関連付ける展示内容を念頭に置き，「現在との連続性を示すために過去の出来事を引き合いに出し，現在を正当化している」，「歴史を単なる現在の前史に貶めてしまう」という危惧が示されたのである[37]。

4　おわりに

　本稿では，ハイネマンがいかなる意図を持ってどのような歴史的事象を連邦共和国の民主主義の源流に位置づけた

---

(32) ハイネマンの演説は，『フランクフルター・アルゲマイネ』紙，『ヴェルト』紙，『ツァイト』紙を始めとする全国新聞やその他多くの地方新聞で，その一部が抜粋されて掲載された。なかでも，ドイツ帝国創設100周年記念演説については読者欄も設けられるほど反響が大きく，連邦政治教育センターによって教材用に25万部出版された。Vermerk, 29.6.1971, in: BArch Koblenz, B122, 6772.

(33) 1970年2月に自由を求める運動を想起する意義について語ったブレーメンでの演説に対して寄せられた投書が記録された BArch Koblenz, B122, 7689 より。

(34) An Herrn Horst Philopowski, 29. 4. 1970, in: BArch Koblenz, B122, 7689.

(35) An Herrn Prof. Dr. Dr. h.c. Gerd Tellenbach, 2.3. 1970, in: Ebenda ; Heinemann, „Abschiedsrede im Deutschen Bundestag (1.7.1974)", S. 205-206.

(36) Theodor Schieder, „Hat Heinemann recht? Zu einer Rede über unser mangelhaftes Geschichtsbewusstsein", in: *Christ und Welt (Deutsche Zeitung)*, 27.2.1970, in: NL Heinemann 0223. なお，歴史家連盟代表を務めたシーダーは，1970年の歴史家大会でハイネマンを招待した際，自由を求める運動に関心を促すハイネマンの試みに励まされる旨，そして，「現代の歴史学の認識が一般人に周知され，自由で民主的なドイツの政治的意識の強化に寄与することを歴史家も願っている」と伝えたように，ハイネマンの試みを否定していた訳ではなかった。28. Deutscher Historikertag in Köln am 2. Apr. 1970. Grußwort und Empfang von Vertretern des Historiker-Kongresses, 6.4.1970, in: BArch Koblenz, B122, 9430.

(37) Hartmut Boockmann, „Die „Erinnerungsstätte für die Freiheitsbewegungen in der deutschen Geschichte" in Rastatt", in: *Geschichte in Wissenschaft und Unterricht*, 28（1977）, S. 285-291.

のか検討してきた。ここから導き出された結論は以下の通りである。

　ハイネマンは，現状の民主主義の政治制度が十分に機能するためにはその前提として国民の意識の変化が不可欠と考えていた。そして，こうした要請の背景には，ドイツの歴史に深く根差している，国家権力に従順な臣民意識への懸念と 1960 年代後半以降の議会外反対派の急進派への懸念があった。こうした者たちも含めてあらゆる国民に基本法の理念を浸透する際にハイネマンが依拠したのがドイツ史における自由を求める運動であった。

　ハイネマンは，大統領演説やそれをめぐる国民とのやり取り，そして，その他の様々な取り組みを通じて，ドイツ史上に見られる自由を求める運動，すなわち，当局に鎮圧された民衆運動，特に，1849 年に西南ドイツで展開された憲法擁護闘争のバーデン蜂起とラシュタットの抵抗運動などに光を当て，これらを連邦共和国の民主主義につながる歴史的な伝統として位置づけた。その際，ハイネマンは，19 世紀の帝国憲法の基本権を，現在の連邦共和国の基本法に保障される基本権の歴史的起源であることを示し

た。そして，この帝国憲法を擁護したバーデンの蜂起について，多くの民衆が「お上」に対して立ちあがり，自由と民主主義を求めたことを強調し，ドイツにも「下からの」自由を求める運動，民主主義の伝統があったことを根拠に，人権の尊重と議会制民主主義に立脚する基本法の理念の社会的浸透を図ったのである。

　こうしたハイネマンの意図，すなわち，自由を求める運動を通じて基本法に保障される権利と義務を国民が考えるきっかけをつくるという意図は，演説のみによっては十分に伝えられなかった。その際，ハイネマンが民衆運動を現在の基本法につながる伝統として肯定的に評価したことには，歴史を現在の問題意識のために参照しているのではないかとする懸念も寄せられた。本稿では，自由を求める運動を国民に周知させるためのハイネマンの様々な取り組みの前提となる問題意識と主張内容を中心に検討したが，「ラシュタット博物館」と「ハイネマン賞」について，そして，実際に訪問者や参加者がこうした取り組みをいかに捉えたかについては稿を改めて論じたい。

公募論文

ドレスデンにおける「移民敵視」運動活発化の背景[1]

岡本奈穂子

はじめに

　ドイツ（以下，1990年の統一前は西独を指す）では1998年の政権交代を機に「移民国」への政策転換が図られたが，移民[2]の様相や彼らとの共生の状況については統一後30年を経た今も西独地域と東独地域では大きな違いがみられる。その背景には，西独と東独（DDR[3]）によるそれぞれの外国人政策とともに，シリア内戦や中東・アフリカ諸国の政情不安等にともなう難民増加の影響がある。特に2015年のいわゆる「難民危機」後，東独地域では難民の受け入れに批判的な政党「ドイツのための選択肢」（AfD）の支持者が増加し，ドイツ内外の注目を集めた。中でもザクセン州の州都ドレスデンは，地域住民運動「西欧のイスラム化に反対する愛国的欧州人」（PEGIDA）の発祥地として，移民（特にムスリム移民）敵視の活動が盛んなことで知られている。

　ドイツの外国人・移民についての研究は，これまで日本では西独や統一ドイツ全体を対象としたものが中心で，DDRならびに統一後の東独地域の外国人・移民の状況についてはあまり目が向けられてこなかった[4]。一方，東独地域でのAfD支持者の増加やPEGIDAに関しては，政治学的観点からの研究や市民社会論的な分析に基づく研究などが報告されている[5]。しかし，なぜドレスデンで「移民敵視」運動が活発化したのかを解明する際には，ドレスデンの地域的特性が重要な鍵となる。その特性は，東独地域全体に妥当する特性とザクセン州に属していることによる特性，そしてドレスデン自体の特性が密接に関連した，重層的・相乗的なものと考えられる。そのような趣旨を踏まえ本稿では東独地域，ザクセン州，ドレスデンの三つのレベルそれぞれの歴史的・政治的・社会的特徴から，ドレスデンにおいて「移民敵視」運動が活発化した背景を明らかにする[6]。その上で，今後の課題を提示する。

（1）本稿は，日本大学経済学部在外研究員制度（2019年4月～2020年3月）でドレスデン工科大学統合研究センターに滞在した際の研究成果の一部である。また，日本ドイツ学会第35回大会（2020年6月21日）フォーラムにおける報告をもとにしている。

（2）移民とは，連邦統計局が定める「移民の背景を持つ者（Bevölkerung mit Migrationshintergrund）」，すなわち「自身または少なくとも一方の親が，出生によってドイツ国籍を所持していない者」を指す。連邦統計局による移民統計は2005年から公表されているが，それ以前は国籍に基づき「ドイツ人」と「外国人」の用語が用いられている。したがって，本稿でも2005年以降の事柄については「移民」を，それ以前の事柄については「外国人」の語を使用する。Statistisches Bundesamt (Statis) (Hrsg.), *Bevölkerung und Erwerbstätigkeit. Bevölkerung mit Migrationshintergrund*（以下，*Bevölkerung mit MH* と略記する），*Ergebnisse des Mikrozensus 2018*, Fachserie 1 Reihe 2.2, Wiesbaden, 2019, S. 4.

（3）以下では，統一前と統一後を含む「東独地域」との区別を明確にし，国としての東独を明示するためにDDRと表記する。

（4）DDRの外国人労働者受け入れについては近藤潤三『ドイツ移民問題の現代史』（木鐸社，2013年）が，ベトナム人労働者の受け入れと彼らの生活については山田香織「社会主義体制における外国人労働——旧東ドイツのベトナム人労働者の事例から」竹沢尚一郎編著『移民のヨーロッパ——国際比較の視点から』（明石書店，2011年），76-93頁などが挙げられる。統一前後の東独地域の外国人・移民の状況や統合政策については，1990年代前半の自治体レベルでの取り組みや外国人排斥問題を取り上げたヴォルフガング・ミヒェル「統合後のドイツ社会と在独外国人の諸問題について」原田溥編『統合ドイツの文化と社会』（九州大学出版会，1996年），63-91頁のほか，最近の論考としてはカーリン・ヴァイス「東ドイツ諸州における移民と統合政策——ブランデンブルク州を中心に」増谷英樹編『移民・難民・外国人労働者と多文化共生——日本とドイツ／歴史と現状』（有志舎，2009年），103-133頁や藤田恭子／佐藤雪野「旧東ドイツ地域・ハレ市における移民・難民統合と教育」『国際文化研究科論集』26（2018年），43-54頁などが挙げられる。

（5）例えばAfDについて佐藤公紀は，AfDが社会の周辺ではなく中核で生じている運動であり，PEGIDAによって組織化された不満を吸い上げ政治的意思表明の場として機能していることを指摘している。佐藤公紀「『怒れる市民』の抗議運動の内実とその論理——AfDとペギーダを例に」『ドイツ研究』第51号（2017年），10-29頁。また，坪郷實はPEGIDAについて，ナショナリズムや国家を強調する「再国民化（Renationalisierung）」の流れを受けた現象であり，寛容や多元性・多様性などを規範とする規範的市民社会とは別の「現実にある市民社会」における「否定的動員」と説明している。坪郷實「Pegida現象と『現実にある市民社会』論」高橋進／石田徹編『『再国民化』に揺らぐヨーロッパ』（法律文化社，2016年），104-124頁。

（6）ドレスデンで「『イスラム化に反対する』デモが起こった原因として」，木戸衛一は「①権威主義的な政治理解，②東独時代の異文化経験の欠如や非宗教化，③『統一』来の『二級市民』状況への怒り，④CDUや極右の牙城であるザクセン州の政治風土，⑤大都

1 ドレスデンにおける移民の様相

　本節では，ドレスデンの移民の様相を概観した上で，その特徴を確認する。

　2018年の統計によると，ドイツ全体の移民1,964万人のうち95.4％が西独地域（ベルリンを含む）に，4.6％が東独地域（ベルリンを除く）に居住している[7]。また，人口に占める移民比率も，西独地域では27.0％だが，東独地域では7.3％で大きく異なっている[8]。つまり，今日ドイツの移民分布は圧倒的な西高東低の状況にある。

　このような違いはドイツ統一前の状況に由来するもので，1989年の外国人人口は西独では既に485万人（人口比7.7％）に達していたが，DDRではわずか19万人（人口比1.2％）であった[9]。また，西独ではトルコ（33.3％），ユーゴスラヴィア（12.6％），イタリア（10.7％），ギリシア（6.1％），ポーランド（4.5％），オーストリア（3.5％）の出身者が多かったのに対して，DDRではベトナム（31.4％），ポーランド（27.1％），モザンビーク（8.1％），ソ連（7.8％），ハンガリー（7.0％），キューバ（4.2％），ブルガリア（2.6％），チェコスロヴァキア（1.7％），ユーゴスラヴィア（1.1％），アンゴラ（0.7％），ルーマニア（0.6％）など[10]。DDR政府が受け入れた社会主義国からの契約労働者（Vertragsarbeiter）やソ連・東欧社会主義諸国出身者が多かったことも特徴的である。

　こうした過去の経緯は，現在のドレスデンの移民の様相にも反映されている。1990年時点のドレスデンの外国人人口は約8千人で全人口の1.7％程であった。しかし，統一後徐々に増加し，2018年の移民人口は6.8万人（うち外国人4.5万人）に上る（表1[11]）。移民人口比12.1％は東独地域では比較的高い数値ではあるが，全国平均（24.1％[12]）と比べると依然として低い状況にある。ただし，この移民人口比は2005年から2018年に6.6％から12.1％に上昇し

表1 ドレスデンにおける移民人口の推移（1990～2018年）　　（単位：人）

年	全人口	なし		あり					
						ドイツ人		外国人	
1990	489,366							8,273	1.7%
1995	464,688							12,495	2.7%
2000	472,350							13,359	2.8%
2005	487,199	455,000	93.4%	32,199	6.6%	13,322	2.7%	18,877	3.9%
2010	517,168	480,053	92.8%	37,115	7.2%	16,133	3.1%	20,982	4.1%
2014	541,304	494,118	91.3%	47,186	8.7%	19,390	3.6%	27,796	5.1%
2015	548,800	494,801	90.2%	53,999	9.8%	20,189	3.7%	33,810	6.2%
2018	560,641	492,800	87.9%	67,841	12.1%	23,176	4.1%	44,665	8.0%

出典：Landeshauptstadt Dresden の資料を基に筆者作成。

市としては例外的なドレスデンの保守性など」を挙げており，その主張は本稿と重なる点が多い（本論考の着想後に閲覧した）。ただし，木戸論文では各項目の詳細については言及されておらず，主題も政治教育となっている。木戸衛一「増殖する右翼ポピュリズムと政治教育──ザクセン州の苦闘」名嶋義直／神田靖子編『右翼ポピュリズムに抗する市民性教育──ドイツの政治教育に学ぶ』（明石書店，2020年），341頁。本稿では東独地域，ザクセン州，ドレスデンの地域特性から，とりわけ移民・外国人との関連事項に重点を置き，ドレスデンにおける「移民敵視」運動の背景を検証・考察する。
（7）ここでは，過去の数値との比較のため「狭義の移民」（別世帯の親に関する国籍・移住などの情報を含まず分類・算出した「移民」）の数値を用いる。Statis (Hrsg.), *Bevölkerung und Erwerbstätigkeit. Bevölkerung mit MH.2018*, S. 4-5, 36, 41.
（8）Statis (Hrsg.), *Bevölkerung und Erwerbstätigkeit. Bevölkerung mit MH. 2018*, S. 41.
（9）Statis (Hrsg.), *Statistisches Jahrbuch 1992 für die Bundesrepublik Deutschland*, Wiesbaden, 1992, S. 71. DDR の定住外国人（Zur Wohnbevölkerung gehörende Ausländer）は，6か月以上DDR内に合法的に定住している外国人を指し，外国代表部の（当該国の国民である）職員とその親族ならびにソ連軍の所属者とその家族は含まれていない。Statistisches Amt der DDR (Hrsg.), *Statistisches Jahrbuch der Deutschen Demokratischen Republik'90*, Berlin, 1990, S. 387.
（10）Statis (Hrsg.), *Statistisches Jahrbuch 1992*, 1992, S. 71.
（11）Paula Gscheidel / Holger Oertel, „Migranten in Dresden", Landeshauptstadt Dresden (Hrsg.), *Dresden in Zahlen*, Ⅲ. Quartal 2016, Dresden, 2016, S. 3; Landeshauptstadt Dresden (Hrsg.), „Bevölkerung am Ort der Hauptwohnung nach Migrationshintergrund 2005 bis 2019", https://www.dresden.de/media/pdf/statistik/Statistik_1204_13_E2012-1992_Ausl_nach_1._Staatsang.pdf（2020年8月13日閲覧）
（12）Statis (Hrsg.), *Bevölkerung und Erwerbstätigkeit. Bevölkerung mit MH. 2018*, S. 36.

表2　ドレスデンにおける移民の変化（2014 ～ 2017 年）とドイツ全国の移民（2017 年）

ドレスデン　　　　　　　　　　　　　　　　　　　　　　　（単位：人）

関連国	2014 年		2017 年		増減
ロシア系	5,355	11.3%	5,981	9.5%	＋11.7%
シリア系	1,078	2.3%	5,038	8.0%	＋367.3%
ポーランド系	3,057	6.5%	3,675	5.8%	＋20.2%
中国系	2,182	4.6%	2,786	4.4%	＋27.7%
ウクライナ系	2,483	5.3%	2,711	4.3%	＋9.2%
ベトナム系	2,325	4.9%	2,350	3.7%	＋1.1%
カザフスタン系	2,173	4.6%	2,235	3.5%	＋2.9%
チェコ系	1,339	2.8%	1,731	2.7%	＋29.3%
ソ連系	1,249	2.6%	1,643	2.6%	＋31.5%
ハンガリー系	1,481	3.1%	1,623	2.6%	＋9.6%
トルコ系	1,269	2.7%	1,483	2.4%	＋16.9%
イタリア系	1,143	2.4%	1,479	2.3%	＋29.4%
アフガニスタン系	300	0.6%	1,467	2.3%	＋389.0%
ルーマニア系	929	2.0%	1,396	2.2%	＋50.3%
インド系	966	2.0%	1,323	2.1%	＋37.0%
ブルガリア系	1,024	2.2%	1,235	2.0%	＋20.6%
イラク系	359	0.8%	1,228	1.9%	＋242.1%
その他	18,474	39.2%	23,667	37.5%	＋28.1%
計	47,186		63,051		＋33.6%

ドイツ全国　　　　　　　　　　　　　　　　　　　　（単位：人）

自身／親の出生国	2017 年	
トルコ系	2,540,000	12.5%
ポーランド系	2,048,000	10.1%
ロシア系	1,329,000	6.5%
カザフスタン系	1,200,000	5.9%
ルーマニア系	826,000	4.1%
イタリア系	790,000	3.9%
シリア系	689,000	3.4%
コソボ系	423,000	2.1%
ギリシア系	403,000	2.0%
ボスニア・ヘルツェゴヴィナ系	381,000	1.9%
クロアチア系	344,000	1.7%
ウクライナ系	303,000	1.5%
セルビア系	296,000	1.5%
オーストリア系	288,000	1.4%
ブルガリア系	258,000	1.3%
イラク系	246,000	1.2%
アフガニスタン系	226,000	1.1%
その他	7,707,000	38.0%
計	20,297,000	

出典：Landeshauptstadt Dresden; Statistisches Rundesamt の資料を基に筆者作成.

ており，その増加率は 110.7％になる。これは同期間のドイツ全国の増加率 30.7％（人口比 18.2％[13]→ 24.1％）を大きく上回り，非常に急激な増加といえる。ドレスデンに居住する移民の内訳（2017 年）をみると，ロシア系，シリア系，ポーランド系，中国系[14]，ウクライナ系，ベトナム系，カザフスタン系，チェコ系の人々が多い（表 2[15]）。ドイツ全国の移民の様相と比較すると，ドレスデンでは DDR 時代からの傾向に加えて，近年はシリア系，アフガニスタン系，イラク系移民の急増が顕著となっている。このように，ドレスデンにおける移民の様相は，近年来独したムスリム難民によって数的にも質的にも急激かつ大幅に変化していることがわかる。難民の急増はドレスデンに限らず国内共通の現象だが，ドレスデンのようにもともと移民が少ない地域では，彼らの存在が目立つことから，その社会的影響も大きくなると考えられる。

2 東独地域の特性

　本節では，東独地域全体における「移民敵視」運動活発化の背景について検討する。

---

(13) Statis（Hrsg.）, *Bevölkerung und Erwerbstätigkeit. Bevölkerung mit MH. Ergebnisse des Mikrozensus 2005*, 2007（korrigiert am 23. August 2017）, S. 35.

(14) ドレスデンには工科大学をはじめ多くの研究機関（マックスプランク研究所，フラウンホーファー研究所など）があり，外国人学生や外国人研究者が多数在籍している。2017/2018 冬学期の外国人学生は計 5,334 人で中国人の 1,403 人が最も多く，ロシア人（293 人），インド人（284 人）と続いている。Ulrich Schiemenz / Tilo Gudo, „Neukommende Studierende – Wie viele? Wer? Woher? Wohin?", Landeshauptstadt Dresden（Hrsg.）, *Dresden in Zahlen*, Ⅰ. Quartal 2019, Dresden, 2019, S. 8.

(15) Holger Oertel, „Bevölkerung mit Migrationshintergrund", Landeshauptstadt Dresden（Hrsg.）, *Dresden in Zahlen*, Ⅰ. Quartal 2018, Dresden, 2018, S. 3; Statis（Hrsg.）, *Bevölkerung und Erwerbstätigkeit. Bevölkerung mit MH. Ergebnisse des Mikrozensus 2017*, 2018（korrigiert am 18. November 2019）, S. 62, 65.

2.1 社会主義統一党（SED）によるナショナリズムの政治利用

　第二次世界大戦後に DDR を支配した SED は，国民統治のためにナショナリズムを利用した。SED は，西独を「アメリカ帝国主義の植民地」と批判し，DDR 政府こそが「真のドイツ政府（wahrhaft deutsche Regierung）」であると国民意識に訴えることで共産主義支配の強要を覆い隠し，独自の国家建設の承認を人々に求めた[16]。しかし，この方針は西独に対する分離政策（Abgrenzungspolitik）によって転換され，1968 年の憲法改正で第一条に記した「ドイツ国民の社会主義国」の文言は，1974 年には「労働者と農民の社会主義国」と変更された。ところが，1980 年代にソ連からの原油供給が減少し経済成長に陰りが生じると，SED 政府はドイツ史の「進歩的」側面を自らの正当性の新たな根拠として見出し，ルター，フリードリヒ大王，ビスマルクなどを礼賛した[17]。DDR は「深くかつ強固に」「全ドイツ史に根差した国」と位置づけられ[18]，これにより「ドイツ人意識」が強化された。

　また，SED 政府は反ファシズムを国是としていたが，それはナチスが反共産主義者であるがゆえのことで，ナチスの人種主義的イデオロギーやユダヤ人迫害は SED にとって些末なことであった[19]。ユダヤ人迫害は，ソ連や他の東欧諸国でも行われていたことから DDR でも黙認され，さらに資本主義に対するルサンチマンと結び付けられてイスラエル批判にも利用された[20]。このような中で，外国人に対する人種差別的な事件やユダヤ人墓地の破壊行為などが多数報告されていたにもかかわらず，SED 政府は「ファシズムの根絶」を宣言し，これらの事件は西独か

らもたらされた影響であるとプロパガンダに利用した[21]。DDR における極右主義を研究対象とする歴史家ハリー・ヴァイベルは，DDR にはネオナチが存在しないという建前が必要な対策を妨げ，ネオナチ勢力の拡大にもつながったと指摘している[22]。これら DDR 時代の影響は今日まで残り，フリードリヒ・エーベルト財団の調査（Mitte Studie）によると，「傾向として，人種差別主義と古典的反ユダヤ主義は，（西独人よりも：引用者補足）東独人の中でより浸透している」と報告されている[23]。

2.2 政府・社会に対する若者の反発

　SED によるナショナリズムの政治利用が行われた一方で，その SED 政府や社会への反発が若者のネオナチ化を招いた側面もある。ヴァイベルによると，その背景には共産主義支配やソ連を先進的指導者とする世界観に対する若者の反発や将来に対する悲観があった[24]。また，DDR の歴史・政治の研究者ジークフリート・ズクートは，SED 支配下では，指導者原理（Führerprinzip）[25] の実践を通して，あるいは異なる意見を持つ者に対してなどさまざまな場面で，支配者による暴力の行使が範として示され，政治的に喧伝されていたことを挙げ，このような暴力の是認が民主的文化の欠如などとともに，若者を極右に誘う土壌となったと指摘している[26]。実際に，1970 年代から 80 年代にかけて起きたネオナチ的，人種差別的，反ユダヤ主義的事件は 400 以上の街で 8,600 件以上に上り，攻撃の大部分は若い男性によるものと記録されている[27]。しかし，こうした事件が頻発しても SED 政府はこれらを単なる「反社会的行為」，「乱暴狼藉」と矮小化し，メディアも報じる

(16) Patrice G. Poutrus, „Die DDR, ein anderer deutscher Weg? Zum Umgang mit Ausländern im SED-Staat", Rosmarie Beier-de Haan (Hrsg.), *Zuwanderungsland Deutschland. Migrationen 1500-2005*, Deutsches Historisches Museum, Berlin, 2005, S. 123.

(17) Klaus Schroeder, *Die DDR, Geschichte und Strukturen*, 2., aktualisierte und ergänzte Auflage, Philipp Reclam jun. Verlag, 2019, S. 123-124.

(18) Klaus Schroeder, *Die DDR*, S. 124.

(19) Klaus Schroeder, *Die DDR*, S. 51.

(20) Klaus Schroeder, *Die DDR*, S. 52, 54.

(21) Harry Waibel, „Rassismus in der DDR. Drei charakteristische Fallbeispiele aus den 70er und 80er Jahren", *Zeitschrift des Forschungsverbundes SED-Staat*, Nr. 39/2016, S. 111, 127. DDR 時代のネオナチの存在については，SED 幹部への私信を分析したズクートも詳述している。Siegfried Suckut (Hrsg.), *Volkes Stimmen. »Ehrlich, aber deutlich« – Privatbriefe an die DDR-Regierung*, dtv, 2016, S. 89-93, 367-376, 425.

(22) Harry Waibel, „Rassismus in der DDR", S. 127.

(23) Andreas Zick / Wilhelm Berghan / Nico Mokros, „Gruppenbezogene Menschenfeindlichkeit in Deutschland 2002-2018/19", Andreas Zick / Beate Küpper / Wilhelm Berghan, *Verlorene Mitte – Feindselige Zustände. Rechtsextreme Einstellungen in Deutschland 2018/19*, Herausgegeben für die Friedrich-Ebert-Stiftung von Franziska Schröter, Dietz, 2019, S. 85-86. この調査では，「主として西独地域（または東独地域）で育った」という回答者自身の情報に基づき「西独人」と「東独人」が区別されている。一般的に「東独人（Ostdeutsche）」と「西独人（Westdeutsche）」は，ドイツ語メディアや文献で主として東独地域（「西独人」の場合は西独地域）居住者ならびに出身者の総称として使用されている。本稿でも，特に明記されていない場合は同様とする。

(24) Harry Waibel, „Rassismus in der DDR", S. 127; Siegfried Suckut (Hrsg.), *Volkes Stimmen*, S. 92-93, 371-372.

(25) „Führerprinzip" は，「一人の指導者によって独占的に権威が行使される，ファシズムやナチズムの政治原理」。DUDEN Deutsches Universalwörterbuch（DUDEN 独独辞典第 5 版 CD-ROM 版），Bibliographisches Institut & F.A. Brockhaus AG, Mannheim, 2003.

(26) Siegfried Suckut (Hrsg.), *Volkes Stimmen*, S. 92.

(27) Harry Waibel, „Rassismus in der DDR", S. 111-112.

ことはなかった[28]。ネオナチの暴力は実質的に野放し，黙認状態となり，それが対策の不備につながったことは既に述べたとおりである。

　さらに，DDR出身の作家ミヒャエル・ナストは著書の中で，統一によって国民の誇り（Nationalstolz）が新たに芽生え，統一直後の時期には，若者にとってナチであることは流行の「ポップカルチャー」となったと述べている[29]。公道上で自分をナチと称することは憚られることではなく[30]，それが一般の住民にとってもナチの存在，ナチとの交流，ナチへの参加に対する違和感や罪悪感を薄め，あるいは心理的警戒感を弱め，今日の「移民敵視」運動を許容する環境を醸成したと考えられる。

2.3　外国人に対する潜在的反感・嫌悪

　DDRに滞在していた少数の外国人の半数近く[31]は，ポーランド（二国間協定締結1965年），ハンガリー（同1967年），アルジェリア（同1974年），キューバ（同1978年），モザンビーク（同1979年），ベトナム（同1980年）などからの外国人労働者（契約労働者Vertragsarbeiter）であった。彼らをめぐっては，職場内外で人種差別的な暴力行為や殺人事件が発生していたほか[32]，例えば，労働成果の高いベトナム人労働者に対しては，ルサンチマンとノルマ引き上げへの不安から，ドイツ人労働者による嫌がらせや脅迫，暴力行為が行われていたことなども報告されてい

る[33]。それに加えて，ベトナム人労働者による不足物資の組織的「買い入れ」も，彼らに対する先住住民の反感を強めることになった[34]。近藤潤三は，外国人労働者に関する断片的な知見や，優遇されているという誤った情報が社会に広がり，SED政府も国民の不満の矛先を逸らすために外国人労働者に対する否定的イメージを利用したと指摘している[35]。また，外国人留学生や政治的難民も，西側諸国への通行が許されていたことで人々の妬みや反感を買っていた[36]。DDR時代，アジア人（特にベトナム人）には „Fidschis“（インドシナ出身者），黒人には „Brikettis“（練炭）という蔑称が使われていた[37]。そこには彼らに対する潜在的な反感や嫌悪が表れている。

2.4　統一後の東独人の「二級市民」意識と西独人の無知・無関心

　各種調査結果でしばしば報じられているように，統一後，東独地域での失業率の増加，西独地域よりも低い給料や年金，人口流出や地域の荒廃などにより，東独人の多くが自身を「二級市民」であると感じている[38]。統合・移民研究ドイツセンターの調査によると，東独人は自身をムスリムと同じくらい「二級市民」扱いされているとみており，「同等になるには」自身もムスリムも，西独人よりも多くの努力が必要と考えているという[39]。他方，西独人は東独人のそのような立場を認識しておらず，こうした状

---

(28) Klaus Schroeder, *Die DDR*, S. 53; Harry Waibel, „Rassismus in der DDR“, S. 127; Siegfried Suckut (Hrsg.), *Volkes Stimmen*, S. 90, 367-371.

(29) Michael Nast, *Vom Sinn unseres Lebens*, Edel Books, 2019, S.133-135. 1990年から2010年までドレスデン市の外国人担当官を務めたマリータ・シーファーデッカー＝アドルフは，こうしたネオナチの若者は失業や家庭環境など個人的な問題を抱えていることが多く，当時，彼らに対する福祉政策が欠如していたことが事態の悪化を招いたと述べている。神学者でもある彼女は，彼らと個別に対話を重ね，その経験から，極右問題の解決のためには彼らが本音を話せるような場をつくることが重要だと指摘している。同氏へのヒアリングより（2020年2月27日）。シーファーデッカー＝アドルフの見解からは，若者が外国人を不満のはけ口としているものの，真の問題は他にあることが示唆されている。

(30) Michael Nast, *Vom Sinn unseres Lebens*, S. 138.

(31) 1989年時点で外国人人口約19万人中9万3千人が外国人労働者であった。Klaus J. Bade / Jochen Oltmer, *Normalfall Migration*, Bonn: Bundeszentrale für politische Bildung, 2004, S. 93.

(32) Harry Waibel, „Rassismus in der DDR“, S. 112-126.

(33) Jochen Staadt, „Geschlossene Gesellschaft, Unerwünscht: Ausländer in der DDR - Asylanten aus der DDR“, *Zeitschrift des Forschungsverbundes SED-Staat*, Nr. 38/2015, S. 44; Klaus Schroeder, *Die DDR*, S. 53.

(34) 彼らは給料をベトナム通貨に両替できなかったため，物資を購入して故国に輸送していた。Klaus Schroeder, *Die DDR*, S. 53-54.

(35) 近藤潤三『ドイツ移民問題の現代史』（木鐸社，2013年），171および177-178頁。

(36) Klaus Schroeder, *Die DDR*, S. 53-54.

(37) Klaus Schroeder, *Die DDR*, S. 53.

(38) 調査によって数値に違いがあるが，例えば2019年に公表された『ドイツ統一の状況に関する連邦政府の年次報告書』によると，東独人（「東独人」の定義については記載なし）の57％が自身を二級市民であると感じている。Bundesministerium für Wirtschaft und Energie (Hrsg.), *Jahresbericht der Bundesregierung zum Stand der Deutschen Einheit*, 2019, S. 13. https://www.beauftragter-neue-laender.de/BNL/Redaktion/DE/Downloads/Publikationen/Berichte/jahresbericht-de-2019.pdf（2020年6月7日閲覧）

(39) Naika Foroutan / Frank Kalter / Coşkun Canan / Mara Simon, *Ost-Migrantische Analogien I. Konkurrenz um Anerkennung*, Deutsches Zentrum für Integrations- und Migrationsforschung, 2019, S. 22-23, https://www.dezim-institut.de/fileadmin/user_upload/Projekte/Ost-Migrantische_Analogien/Booklet_OstMig_1_web.pdf（2019年4月20日閲覧）　この調査では，西独地域に居住する回答者を「西独人」，東独地域に居住する回答者を「東独人」としている。https://www.dezim-institut.de/das-dezim-institut/abteilung-konsens-konflikt/projekt-postmigrantische-gesellschaften/ost-migrantische-analogien-i-konkurrenz-um-anerkennung/（2019年4月20日閲覧）

況は，東独人が抱えている統一の痛みに関して西独人が無知であることを物語っている[40]。メディアでしばしば使われる，„Jammer Ossi"（悲嘆する東独人），„Besser Wessi"（優れている西独人）というフレーズにも，同種の東独人・西独人に対する見方が反映されている。

現状に対する東独人の失望は，経済的・社会的事由からだけではなく，政治との関わりからも増幅されている。ドレスデン工科大学の社会学者カール＝ジークベルト・レーベルクは，DDR 時代に人々は SED 政府に請願や苦情を送付すると 19 日以内に返信を得ることができたが，現状の政治システムでは同様の関与に対して何の音沙汰もないことを挙げ，このような対応により，政治から無視されている，見放されたと感じている東独人も少なくないと説明している[41]。

このように，「二級市民」意識や，東独人の経験ならびに東独地域の現状に対する政治家や西独人の無知・無関心が，自分たちは同等に扱われていない，理解されていないという不満を生み，PEGIDA には，その抗議・自己主張の場としての側面がある。ザクセン州の前平等・統合担当相ペトラ・コッピング（SPD）は，PEGIDA 参加者との話し合いの中で，彼らのテーマが「難民問題」ではなく統一後の個人的な体験であることに気づき，統一のプロセスや東独人が受けてきた自尊心の傷，侮辱，不公正さについて全ドイツ人がもう一度話し合い事後検証を行うこと，すなわち「東独人と西独人の統合」が必要だと訴えている[42]。

2.5 移民との少ない交流と扇動される不安

第 1 節で述べたように，DDR 時代から今日に至るまで外国人・移民が少ないことも東独地域の特徴である。DDR 時代の外国人労働者は専用の宿舎で一般の住民とは隔離されて生活していたこともあり，東独地域では外国人・移民との直接的な交流の経験がほとんどない人も多い。社会学者ヴィルヘルム・ハイトマイヤーを中心とするビーレフェルト大学学際的紛争・暴力研究所よる実証研究

によると，外国人の割合が高い地域ほど外国人に対する否定的な意見が少なく，その理由として外国人との肯定的な交流の機会が増えるためと説明されている[43]。東独地域の状況は正にその逆といえる。

こうした状況の中，AfD の広報で取り上げられた犯罪容疑者の 95 ％がドイツ人ではない者（Nichtdeutsche）（AfD の広報では「庇護申請者」「移民」「外国人」「難民」などの語が使われている）で，実際の犯罪統計（PKS）（ドイツ人ではない犯罪容疑者は全体の 34.5 ％）よりも移民の犯罪が誇張されていることが犯罪政治学の調査結果により明らかとなった[44]。また，AfD の広報では，PKS でドイツ人ではない犯罪容疑者の上位にあるルーマニア人，ポーランド人，イタリア人などが取り上げられることはなく，もっぱらアフガニスタン人，シリア人，イラク人などムスリム移民に焦点が当てられ，2015 年の国境開放の失敗と住民の不安を煽る意図が指摘されている[45]。

連邦刑事局の犯罪被害者調査（2017 年）では，東独地域で実際に被害者になることは西独地域と同程度かまたはむしろ少ないにもかかわらず，東独地域の人々は居住地周辺では安全ではないと感じたり，窃盗やテロ攻撃を恐れたりする割合が西独地域の人々よりも高い傾向にあると報告されている[46]。これは，移民との実際の交流が少ない東独地域では，AfD の広報に限らずメディアを通して知るネガティブな「移民・難民像」の影響が強く，それが移民に対する拒否反応につながっているためと推測される。

2.6 近年のムスリム難民の急増

2014 年から 2018 年の移民人口の推移をみると，西独地域とベルリンでは 1,580 万人から 1,874 万人で 18.6 ％の増加率であるのに対し，東独地域では 59 万人から 90 万人で，その増加率は 52.5 ％に上る[47]。急増した移民の中には 2015 年のいわゆる「難民危機」でシリア，アフガニスタン，イラクなどから来独した人々も多く含まれている。①移民が急増したこと（数的変化），②彼らの多くが難民

(40) Naika Foroutan / Frank Kalter / Coşkun Canan / Mara Simon, *Ost-Migrantische Analogien I*, S. 37.

(41) 返信は多くの場合断りを伝える内容であったが，最小限何かしらの反応がなされたという点で現状とは違いがある。Karl-Siegbert Rehberg, „Ressentiment - »Politik«. PEGIDA zwischen Provinzaufstand und Krisenwelten", *Zeitschrift für Politik*, Jahrgang 64, Heft 1, 2017, S. 56. https://doi.org/10.5771/0044-3366-2017-1（2020 年 1 月 22 日閲覧）

(42) Petra Köpping, *Integriert doch erst mal uns!*, Ch.Links Verlag, 2018, S. 8-10.

(43) Carina Wolf / Ulrich Wagner / Oliver Christ, „Die Belastungsgrenze ist nicht überschritten. Empirische Ergebnisse gegen die Behauptung vom »vollen Boot«", Wilhelm Heitmeyer (Hrsg.), *Deutsche Zustände*, Folge 3, Suhrkamp, 2005, S. 86-87.

(44) Thomas Hestermann / Elisa Hoven, „Kriminalität in Deutschland im Spiegel von Pressemitteilungen der Alternative für Deutschland (AfD)", *Kriminalpolitische Zeitschrift*, 3/2019, S. 133-135; Bundeskriminalamt (Hrsg.), *Polizeiliche Kriminalstatistik (PKS). Bundesrepublik Deutschland. Jahrbuch 2018, Band 3. Tatverdächtige*, Wiesbaden, 2020, S. 12. PKS のドイツ人ではない犯罪容疑者には外国人法違反者も含まれている。

(45) Thomas Hestermann / Elisa Hoven, „Kriminalität in Deutschland im Spiegel von Pressemitteilungen der AfD", S. 134-135, 137-138; Bundeskriminalamt (Hrsg.), *PKS. Jahrbuch 2018*, S., 12130. PKS では，上記中東 3 か国の国籍の犯罪容疑者は全体の 5.2 ％であった。

(46) Bundeskriminalamt (Hrsg.), *Der Deutsche Viktimisierungssurvey 2017*, Wiesbaden, 2019, S. 54, 58, 99.

(47) Statis (Hrsg.), *Bevölkerung und Erwerbstätigkeit. Bevölkerung mit MH. 2014*, S. 36, 41; Statis (Hrsg.), *Bevölkerung und Erwerbstätigkeit.*

であること（保護の優先度が高い），③そのほとんどがムスリムであること（異質性）の3点が，もともと移民が少なかった東独地域に大きな変化をもたらした。

西独でもかつて1960年代に外国人労働者やその家族が急増したが，当時は好景気で，彼らはドイツ経済の発展に貢献する存在であった。一方，現在は貧富の差が拡大し，貧困状況の中で生活せざるを得ない人々が国内にも多数存在する中で，難民の人々には住居や保育園の子どもの受け入れ枠など優先的な保護が適用され，相応のコストも生じることから，西独の60年代とは移民に対する人々の目や社会環境には違いがある。特に，西独地域との格差を感じている東独地域の人々にとって，難民の人々は国や地域の経済的配分をめぐる「競争相手」となり，彼らに対するルサンチマンが強まったと考えても無理はない[48]。ifo研究所がまとめた報告書によると，東独地域では西独地域よりも「受け入れた難民」（東45.6%，西32.4%）も，「難民の受け入れに対応するための財政資金」（東35.2%，西22.1%）も，「ドイツ国内で難民に対してなされたこと」（東34.1%，西22.2%）のいずれも「多すぎる」と感じている人が多い[49]。また，フリードリヒ・エーベルト財団の調査（Mitte Studie）によると，東独人（43%）は既得権を重視する傾向が強く，難民よりも自分たちドイツ人の生活支援を優先すべきと考えている人が西独人（35%）よりも多くなっている[50]。さらに，東独地域ではそれまでムスリムの移民が非常に少なく，多くの人々にとってムスリムが「異質」かつ「他者性」の強い存在であったことや，既に西独地域で語られていた「イスラム批判」[51]の影響も，東独人がムスリムとの共生を困難視する要因と考えられ

る。

3 ザクセン州の特性

本節では東独地域の中でもドレスデンが属するザクセン州に特有の「移民敵視」の背景について説明する。

3.1 CDUによる極右勢力の存在軽視と極右・極左の同列化

統一後，東独地域の他4州では直後からまたは早い時期から複数政党による連立政権が誕生したのに対して，ザクセン州ではCDUが1990年から2004年の長期にわたり単独で政権に就き，DDR時代からの「一党支配」が継続した。この間1990年から2002年まで州首相を務めたのがクルト・ビーデンコプフである。彼はボーフム大学総長の経歴を持つ経済学者で，統一後のザクセン州の復興に尽力したが，当時，州内で外国人襲撃事件や極右勢力による暴力事件[52]が相次いでいたことについては，「ザクセン人は極右に対して免疫性をもっている」[53]と述べ，極右勢力の存在を軽視・否認した。これはDDR時代のSEDからの連続性を示唆するもので，東独地域のCDUがDDR時代からSED政権の衛星党としての役割を担っていた[54]ことを考えれば，その連続性にも説明がつく。また，ビーデンコプフは「クルト王」の異名で呼ばれ，それは，さながらザクセン王国の復活を彷彿させるものであり，権威主義体制の継続性を示唆するものであった[55]。

ザクセンCDUの保守的な傾向には西独州からの影響も指摘されている。統一後，西独の行政制度を導入するため

Bevölkerung mit MH. 2018, S. 36, 41.

(48) ALLBUS世論調査によると，東独地域では回答者の過半数（53.9%）が，難民との共生はチャンスよりも「リスクの方が大きい」と答えている（西独地域では44.8%）。Helmut Rainer / Clara Albrecht / Stefan Bauernschuster / Anita Fichtl / Timo Herner / Joachim Ragnitz, *Deutschland 2017. Studie zu den Einstellungen und Verhaltensweisen der Bürgerinnen und Bürger im vereinigten Deutschland*, ifo Forschungsbericht 96/2018, ifo Institut, 2018, S. 125-126.

(49) Helmut Rainer / Clara Albrecht / Stefan Bauernschuster / Anita Fichtl / Timo Herner / Joachim Ragnitz, *Deutschland 2017*, S. 121, 123. ここでは，POLITBALOMETERの調査結果が参照されている。

(50) Andreas Zick / Wilhelm Berghan / Nico Mokros, „Gruppenbezogene Menschenfeindlichkeit in Deutschland 2002-2018/19", S. 85.

(51) 「イスラム批判」は，イスラム文化を「暴力的」「家父長制的」「後進的」とみなし，「自由」「民主主義」「人権」「平等」などの近代西洋的な価値や「憲法秩序」に不適合だとする考え方で，ドイツでは2005年前後から急速に広まった。佐藤成基「なぜ『イスラム化』に反対するのか——ドイツにおける排外主義の論理と心理」樽本英樹編著『排外主義の国際比較——先進諸国における外国人移民の実態』（ミネルヴァ書房，2018年），94頁。また，PEGIDAの名称にも含まれている「西洋（アーベントラント）」に纏わる冷戦期の言説には，「イスラム」との対峙がみられることも指摘されている。板橋拓己『黒いヨーロッパ——ドイツにおけるキリスト教保守派の「西洋」主義，1925～1965年』（吉田書店，2016年），211-212頁。

(52) 例えば，1991年4月にドレスデンの路上で起きたモザンビーク人の殺害事件や，9月にホイヤースヴェルダで起きた外国人宿舎襲撃事件はドイツ社会に衝撃を与えた。極右背景が立証または推測される暴力事件は州内で1999年86件，2000年62件起きている。Bundesministerium des Innern (Hrsg.), *Verfassungsschutzbericht 2000*, Berlin, S. 35.

(53) Dietrich Herrmann, „Warum gerade Dresden?", Heinrich Böll Stiftung, 2015.01.14, https://www.boell.de/de/2015/01/14/dresden-staat-zivilgesellschaft-pegida（2019年7月18日閲覧）

(54) 仲井斌『もうひとつのドイツ』（朝日新聞社，1983年），166-167頁。

(55) フランク・リヒター（元ザクセン州政治教育センター所長，現ザクセン州議会議員）によると，ザクセン人にとって君主制はよい思い出であるのに対して，民主主義は悪しき思い出として記憶されている。同氏へのヒアリングより（2020年3月3日）。ビーデンコプフの政治については，木戸衛一「増殖する右翼ポピュリズムと政治教育」，338-339頁も参照。

の支援パートナー州が東独地域の各州に割り振られ，ザクセン州ではバイエルン州とバーデン＝ヴュルテンベルク州がその任に当たった。ザクセン州の強い保守性は，DDR時代からのCDU党員が多いことに加えて，西独の中でも保守的な傾向の強い両州からの影響も考えられる[56]。かつてはザクセンCSU設立の動きがあったことが報じられ，今日ではCDU内部からもAfDとの連立に前向きな声が出るなど[57]，ザクセンCDU右派には「反移民・反難民」勢力との親和性がうかがえる。

　ザクセンCDUが極右の暴力行為やネオナチのデモ行進に対して積極的な対策を講じなかった背景には，極右の背景を持つ犯罪数が極左の背景を持つ犯罪数を実際には大きく上回っていたにもかかわらず[58]，極左勢力に対する警戒感から極右・極左勢力を同列化していたことがある[59]。その結果，極右勢力による暴力行為や示威行為は相対化・些末化され，「黙認」されてきた。これによりザクセン州は極右勢力にとって「活動しやすい場所」と認識されるようになり，他都市からドレスデンに拠点を移す極右グループも現れた[60]。2016年に，当時のティリッヒ州首相が「ザクセンには極右に関する問題がある」と認めたが[61]，既にザクセンではPEGIDAの「散歩」[62]が定着し，他の極右勢力とのネットワーク化が進んでいた。

3.2　不十分な政治教育

　ザクセン州では政治教育が軽視されていたことも，「移

民敵視」運動活発化を説明する要因の一つと考えられる[63]。例えばCDU州政府は，若く積極的な教員を政治教育のために採用することはなく，経費節減のためDDR時代の老教員を再教育して社会科（Gemeinschaftskunde）授業に当たらせたり，「州の中立性」を理由に学生グループが校内で政治イベントを行うことを禁止したりするなど，住民が政治的な活動や議論に参加することを望まず，体制への批判者を「（ザクセン州への）投資の障害」，「邪魔者」と蔑視した[64]。この点においてもSEDからの継続性が確認される。そのため統一後も長らくザクセンの人々は，人権の尊重や社会の多様性，少数者に対する配慮など民主主義に対する知識や理解から遠ざけられてきた。各種市民・政治活動に対する抑圧は，極右勢力の抑制を困難にするだけではなく，むしろ勢力拡大を促す要因となったことも否定できない。前州平等・統合担当相コッピングは，「東独人は平和革命の中で独裁体制を打倒したが，民主主義を戦い取ることはできなかった」と述べ，それゆえ「私たちにはより充実した政治教育が必要である」と主張している[65]。

4　ドレスデンの特性

　同じザクセン州の中でも，ドレスデンは王宮都市，ライプツィヒは商業都市，ケムニッツは工業都市と呼ばれるなどそれぞれの都市には異なる特徴がある。本節では「移民

(56) Christian Bangel / Lenz Jacobson / Andres Hanna Hünniger, „Ein ganz besonderes Volk", *Zeit-Online*, 2016.10.03, https://www.zeit.de/feature/sachsen-rechtsextremismus-npd-pegida-spaltung-einheitsfeier（2020年1月20日閲覧）

(57) Cornelius Pollmer, „Seehofers Kabinett besucht das "Bayern des Ostens"", *Süddeutsche Zeitung*, 2016.05.03, https://www.sz.de/1.2974975（2020年8月10日閲覧）; FAZ. NET, „CDU-Abgeordnete will Koalition mit AfD nicht ausschließen", *FAZ.NET*, 2016.09.22, https://www.faz.net/-gpg-8lnrr（2019年7月9日閲覧）

(58) 例えば2006年と2018年の統計では，極右の背景を持つ犯罪数はそれぞれ2,063件，2,199件で，極左の背景を持つ犯罪数は275件，628件であった。Sächsisches Staatsministerium des Innern (SMI) und Landesamt für Verfassungsschutz Sachsen (LfV) (Hrsg.), *Verfassungsschutzbericht 2010*, Dresden, 2010, S. 68, 70; SMI und LfV (Hrsg.), *Verfassungsschutzbericht 2018*, Dresden, 2019, S. 180, 264.

(59) Matthias Meisner, „Die Relativierer. Die Staatspartei CDU unternimmt zu wenig gegen Fremdenhass", Heike Kleffner / Matthias Meisner (Hrsg.), *Unter Sachsen*, Ch. Links Verlag, 2017, S.16-17. CDUのこの傾向は，昨年ドレスデン市議会で可決された「ナチ非常事態？」の審議・決議でもみられた。Andreas Weller, „Was der 'Nazinotstand' bedeutet", *Sächsische Zeitung*, 2019.11.02.

(60) Bernd Siegler, *Auferstanden aus Ruinen*, Tiamat, 1991, S. 22.

(61) Cornelius Pollmer, „Es stimmt, Sachsen hat ein Problem mit Rechtsextremismus", *Süddeutsche Zeitung*, 2016.02.29, https://www.sz.de/1.2885510（2020年1月9日閲覧）

(62) PEGIDAはデモ行進を「ドレスデンの夜の大散歩（Grosser Dresdner Abendspaziergang）」と呼んでいる。

(63) ただし，ザクセン州政治教育センターが全くの無為無策であったわけではない。統一から約20年後，2009年から2017年まで所長を務めたフランク・リヒターは，住民，専門家，PEGIDA参加者などとの対話の場を設け，ザクセン州の政治教育推進のために尽力した。それに対してAfDも，2014年の州議会選挙で州政治センターの廃止を公約に掲げたり，2018年にはAfDの州議員団が「教育の中立性」を理由にAfDに批判的な教師を生徒や親が密告するウェブサイト（https://lehrersos.de/）を開設したりするなど政治教育への介入を図っている。木戸衛一「増殖する右翼ポピュリズムと政治教育」，344-350頁。一方，PEGIDAに関する研究書を著したドレスデン工科大学の政治学者ハンス・フォアレンダーは，PEGIDAと政治教育の不備を関連付ける考え方を，実証調査の結果から根拠不十分と否定的な見解を示している。Hans Vorländer / Maik Herold / Steven Schäller, *PEGIDA. Entwicklung, Zusammensetzung und Deutung einer Empörungsbewegung*, Springer VS, 2016, S. 143.

(64) Dietrich Herrmann, „Warum gerade Dresden?"

(65) Petra Köpping, *Integriert doch erst mal uns!*, S. 174.

敵視」運動につながるドレスデンの特性について説明する。

4.1　王宮都市ドレスデンの伝統主義と伝統美

　ベルリンの壁崩壊につながる月曜デモは，ザクセン州の街ライプツィヒから始まった。ドレスデン工科大学の社会学者レーベルクによると，DDR 時代からメッセを通じて外国に開かれていたライプツィヒの住民は，自意識が強く，表立った行動に出るのを厭わないのに対して，ドレスデンの住民は宮廷社会的な追従性が高く，公の場で抗議活動を行うことなどを躊躇する傾向がある[66]。そのため反極右の意思表示や行動も比較的弱く[67]，こうしたドレスデン住民の「おとなしさ」が，極右勢力にとってはドレスデン集結を促す「魅力的な」要素になったと考えられる。

　また，「バロック都市ドレスデン」に対する住民の誇りは，あらゆる変化を警戒・阻止しようとする保守的な住民集団を形成し[68]，ザクセン王国時代の政治的自主性の長い歴史とも結びついて，固有の文化・伝統・アイデンティティを強調・保護する保守主義につながった[69]。これに加えて，ビーレフェルト大学学際的紛争・暴力研究所よる実証研究では，ドレスデン市内でも伝統主義が優勢であるほど，外国人による脅威感が強いほど，そして極右主義はメディアの中で「誇張されている」と考える人が多い地域ほど，人間敵視的な考え方が強いことが確認されている[70]。つまり，伝統を重んじる人々は，移民によって自分たちの伝統や文化が壊されることに不安を感じ，彼らを

敵視・排除しようとする傾向が強いといえる。

　一方，レーベルクは，ドレスデンがその伝統美ゆえに PEGIDA の「舞台」として利用されているとの見方を示している[71]。ドレスデンの旧市街には聖母教会，ドレスデン城，ツヴィンガー宮殿，ゼンパー歌劇場など，ザクセン王国の栄華を象徴する壮麗な建造物が連なっている。その「威信」を借りて PEGIDA は「集客力」を高め，世界的な注目を集めることに成功した。PEGIDA にはドレスデンの住民だけではなく，近隣のマイセン，ラウジッツ（バウツェン，ゲルリッツなど），エルツ山地，ザクセン・スイスからの参加者も多い[72]。したがって，ドレスデンは必ずしも移民敵視活動の「源」ではなく，「舞台」あるいは「集合地」であることにも留意する必要があるとレーベルクは指摘している[73]。

4.2　空襲の「犠牲者神話（Opfermythos）」と　　　「追悼行進」

　第二次世界大戦末期の 1945 年 2 月 13 日から 14 日にかけての夜，ドレスデンの街は空襲によって瓦礫の山と化し，約 25,000 人が犠牲となった。一般的にドイツの現代史教育では，ナチスドイツによる侵略行為やユダヤ人迫害など「加害者」としての側面に重点が置かれるが，DDR ではナチスドイツと闘った共産党史が教えられ，ドレスデン空襲も「アメリカ帝国主義によるテロ行為」とプロパガンダ用の教材として活用された。ドレスデンの住民は自らを被害者と認識するようになり，「犠牲者神話」が誕生し

---

(66) Uschi Jonas, „Populismus-Experte: Grund für den Hass in Sachsen liegt in der Geschichte", *FOCUS-Online*, ein Interview mit Karl-Siegbert Rehberg, 2017.03.24, https://www.focus.de/regional/sachsen/wie-rechts-ist-sachsen-wirklich-populismus-experte-grund-fuer-den-hass-in-sachsen-liegt-in-der-geschichte_id_6715439.html（2020 年 1 月 22 日閲覧）フランク・リヒターもライプツィヒの住民は民主的，市民的で，広く外界の事象に心を開いた傾向であるのに対して，ドレスデンの住民は権威主義的な傾向が強いと述べている。同氏へのヒアリングより（2020 年 3 月 3 日）。

(67) フランク・リヒターへのヒアリングより（2020 年 3 月 3 日）。警察発表によると，PEGIDA に対するカウンターデモ（2014 年 10 月～2015 年 6 月）の参加者数は，PEGIDA 参加者よりも少ない数にとどまっている。Hans Vorländer / Maik Herold / Steven Schäller, *PEGIDA*, S. 8.

(68) Joachim Klose, „Vorspiele zu Pegida. Beobachtungen zur Zivilgesellschaft Dresdens", Werner J. Patzelt / Joachim Klose（Hrsg.）, *Pegida*, Thelem, 2016, S. 541.

(69) Hans Vorländer / Maik Herold / Steven Schäller, *PEGIDA*, S. 143-145.

(70) Sylja Wandschneider, „Eine deskriptive Analyse zur Gruppenbezogenen Menschenfeindlichkeit in Dresden", Andreas Grau / Wilhelm Heitmeyer（Hrsg.）, *Menschenfeindlichkeit in Städten und Gemeinden*, Beltz Juventa, 2013, S. 254-255. この調査結果では，ドレスデン市内でも旧市街ではドイツ国家民主党（NPD）の定着と明白な伝統主義が表れていたのに対して，新市街では伝統的な考え方も権威主義的な攻撃性も外国人による脅威感も弱い傾向にあると説明されている。また，「人間敵視的な考え方」は，ここでは「集団相関的人間敵視（Gruppenbezogene Menschenfeindlichkeit）」を指している。社会学者ヴィルヘルム・ハイトマイヤーによると「集団相関的人間敵視」とは，特定の集団への所属に基づき人々を低評価する偏見を意味するもので，移民敵視，反ユダヤ主義，人種差別主義，女性蔑視，同性愛者敵視，イスラム敵視，既得権者敵視とともに社会的弱者の集団（障がい者，ホームレス，長期失業者）に対する偏見を「集団相関的人間敵視症候群（Das Syndrom Gruppenbezogene Menschenfeindlichkeit）」と規定している。Wilhelm Heitmeyer / Andreas Grau, „Gruppenbezogenen Menschenfeindlichkeit im lokalen Raum und bürgerschaftliches Engagement", Andreas Grau / Wilhelm Heitmeyer（Hrsg.）, *Menschenfeindlichkeit in Städten und Gemeinden*, Beltz Juventa, 2013, S. 11-33.

(71) Karl-Siegbert Rehberg, „Ressentiment - »Politik«", S. 46.

(72) 研究者による各種調査（2015 年）では，ドレスデン住民の割合は 37.8％から 44.2％と算出されている。Hans Vorländer / Maik Herold / Steven Schäller, *PEGIDA*, S. 58.

(73) Karl-Siegbert Rehberg, „Ressentiment - »Politik«", S. 46.

た[74]。ドレスデン衛生博物館の研究員ヨハネス・シュッツや政治学者ハンス・フォアレンダーによると，この犠牲者神話は，第一にドレスデンの人々の共通体験として集団的アイデンティティを形成し，第二にナチスやドイツ人による戦争犯罪に対する沈黙を促しただけではなく，現在ドレスデンが直面する移民との共生という未来への挑戦よりも，過去に向き合い続ける方向に作用したという点で，ドレスデンの保守層による PEGIDA 誕生の一要因と考えられる[75]。

さらに空襲と PEGIDA をより強く関連づけるものとして，2005 年から NPD によって行われている「追悼行進」がある。この「追悼行進」は欧州全域からネオナチが集結する大規模な極右デモで，ドレスデン空襲を「爆弾ホロコースト」と称してユダヤ人迫害の「ホロコースト」と同列化・相対化しながら被害者を「追悼」している。毎年 2 月中旬に中心街を練り歩く「追悼行進」はドレスデンの「年間恒例行事」となり，後の PEGIDA の先例となった。

4.3　「もの知らずの谷（Tal der Ahnungslosen）」

DDR 時代，ドレスデンとその周辺地域は，西独のテレビ放送が受信できなかったことから「もの知らずの谷」と呼ばれていた。DDR において西独のテレビ放送は，主として①DDR メディアの情報との比較のため（ニュース番組），②非政治的な娯楽のため（映画やドラマ）に視聴されていた[76]。人々は西独のニュース番組やドラマを通して，失業や倒産，政党間・政治家間の対立，住民のデモなど西側社会の状況を垣間見ることができた。しかし，ドレスデン周辺の人々にはそうした機会がなかったことから，西独や西側世界の政治的・経済的・社会的諸制度やその問題点についての理解が不足し，それが統一後の変化への適応に困難や大きな失望をもたらしたと考えられる[77]。また，国際性や多様性など世界の実情に対する不十分な知識・理解が，移民との共生においても少なからぬ影響を及ぼした

という見方もある[78]。

他方では，「もの知らずの谷」での平静と秩序が移民によって乱されるという考え方が PEGIDA 参加者に共有され，それが参加の動機づけにもなっているとの指摘もある[79]。彼らの心情には，西側の世界を知らずにいたことで保たれていた平穏や自尊心など過去への郷愁とともに，知ることによって生じた失望や，変化に対する不安などが堆積しているのかもしれない。

4.4　住民の世論・政治動向

本項では，最近の世論調査や選挙結果から，ドレスデン住民の問題意識や政治に対する方向性の変化について考察する。

2016 年にドレスデン市が行った市民世論調査によると，「ドレスデンの最大の問題」として，最も多くの住民（32%）が PEGIDA を挙げている[80]。この数値は 2018 年の調査では 19% に低下しているが，代わって「極右主義」が 8% から 13% に増加している[81]。ここから，ドレスデンには PEGIDA や極右主義の存在を問題視する住民が一定数存在している様子がうかがえる。

こうした傾向は，市議会選挙や州議会選挙（2014 年，2019 年）の結果[82]にも表れている。ザクセン州内の他の地域とは異なるドレスデンの特徴として，中道左派政党，特に緑の党投票者（2014 年市議会選挙 15.7%，2014 年州議会選挙 10.9%，2019 年州議会選挙 16.9%）の存在が大きいことが挙げられる。特に直近の 2019 年市議会選挙では，初めて緑の党が第一党（20.5%）となった。州全体での緑の党の得票率は，2014 年州議会選挙 5.7%，2019 年州議会選挙 8.6% なので，ドレスデンでの得票率はそれぞれ 2 倍近く高くなっている。言うまでもなく，緑の党は移民との共生を最も積極的に推進しようと主張する政党である。近年の緑の党の躍進には，ドレスデン市民の変化が表れており[83]，「移民敵視」的な傾向が将来的に弱体化する可能性

---

(74) 「犠牲者神話」（＝「ドレスデン」神話）については，木戸衛一「増殖する右翼ポピュリズムと政治教育」，333-336 頁も参照。

(75) Johannes Schütz, „Dresden bleibt Deutsch?! Vorstellungen von der nationalen Gemeinschaft im Bezirk Dresden, 1969-1990", Joachim Klose / Walter Schmitz (Hrsg.), *Freiheit, Angst und Provokation. Zum gesellschaftlichen Zusammenhalt in der postdiktatorischen Gesellschaft*, Thelem, 2016, S. 50-51; Hans Vorländer / Maik Herold / Steven Schäller, *PEGIDA*, S. 144.

(76) Michael Meyer, „Haben die Westmedien die DDR stabilisiert?", *Siegener Periodicum zur internationalen empirischen Literaturwissenschaft*, Jg. 20 (2001), Hefte 1, S. 128-129.

(77) フランク・リヒターへのヒアリングより（2020 年 3 月 3 日）。

(78) 同上。

(79) Marc Drobot / Martin Schroeder, „Wie man bekämpft, was man selbst repräsentiert. Pegida – eine fundamentalische Gruppierung", Tino Heim (Hrsg.), *Pegida als Spiegel und Projektionsfläche*, Springer VS, S. 288-289.

(80) Florian Böttcher, „Das Beste und die größten Probleme in und an Dresden", Landeshauptstad Dresden (Hrsg.), *Dresden in Zahlen*, Ⅱ. Quartal 2018, Dresden, 2018, S.5.

(81) Ebenda. 他にも「家賃」，「自転車専用道路」，「交通」など従来から問題視されていた項目の数値が上がったことにより，PEGIDA への問題意識が相対的に低下したと考えられる。

(82) Statistisches Landesamt der Freistaates Sachsen (Hrsg.), *Statistisches Jahrbuch. Sachsen 2014*, Kamenz, 2014, S. 178-179; Statistisches Landesamt der Freistaates Sachsen (Hrsg.), *Statistisches Jahrbuch. Sachsen 2019*, Kamenz, 2019, S. 232, 236-237.

(83) ただし，緑の党躍進には当時，環境保護運動 Fridays for Future が活発化していた影響も考えられる。

が示唆されている。

一方，ドレスデンにおける AfD の得票率をみると，2019 年市議会選挙 17.1%（ザクセン全体では 21.2%），2019 年州議会選挙 20.7%（同 27.5%）で，ザクセン州全体よりも低い傾向にある。それに対して，マイセン，バウツェン，ザクセン・スイスなどドレスデン周辺地域では，第一党がそれまでの CDU から AfD に変わっている（エルツ山地は CDU35.9%，AfD31.2% で CDU が第一党）。その背景には，ドレスデンと周辺地域の格差の問題も関係していると考えられる。ベルリン人口・開発研究所が 2019 年に公表した，ドイツ各地の「未来可能性（Zukunftsfähigkeit）」に関する調査結果によると，総合評価はドレスデン 2.63 に対してマイセン 3.45，バウツェン 3.60，ザクセン・スイス 3.5，エルツ山地 3.72 で，ゲルリッツに至っては 4.08 という低い評価になっている[84]。将来に明るい展望が持てないドレスデン周辺の人々が州都ドレスデンに赴き，PEGIDA を通して現在の政治に対する不満を訴えていることは想像に難くない。それは PEGIDA という「移民敵視」運動の「場」を借りた異議申し立てであり，第 1 項で述べた，ドレスデンが「移民敵視」運動の「舞台」として利用されているという主張を裏付けるものといえよう。

おわりに

以上，ドレスデンにおける「移民敵視」運動活発化の背景を東独地域，ザクセン州，ドレスデンのそれぞれの地域の特性から検討した。その結果をまとめると，ドレスデンにおける「移民敵視」運動活発化の要因を以下の 5 点に集約することができる。

① 東独地域，ザクセン州，ドレスデンにおける歴史的諸要因：SED によるナショナリズムの政治利用，DDR 政府・社会に対する若者の反発，DDR 時代のネオナチの黙認，バロック芸術都市ドレスデンに対する誇り（伝統主義），空襲による犠牲者神話と「追悼行進」，「もの知らずの谷」での西側諸国や世界に

関する情報不足

② 統一後の変化：「二級市民」意識，現状に対する失望，政治家や西独人の東独地域や東独人に対する無知・無関心，人口変動や経済状況などにおける都市と地方の格差

③ ザクセン州における SED から CDU までの政治的継続性：極右勢力の存在軽視・否認，CDU の強い保守性と極右勢力・極左勢力の同列化，極右暴力に対する不十分な対策，不十分な政治教育

④ 少ない移民と交流の欠如：契約労働者の隔離，扇動される不安，ムスリム移民の急増，難民に対するルサンチマン

⑤ 「舞台」として利用されるドレスデン：「舞台」としての伝統的建造物，周辺地域からドレスデンに集まる PEGIDA 参加者

PEGIDA に象徴されるドレスデンにおける「移民敵視」運動は，必ずしも移民を敵視する人々だけからなる運動ではなく，ドレスデンが「舞台」として利用されている面もあることから，メディアなどで報じられるドレスデン＝「移民敵視の源」や「移民敵視の巣窟」というような表現は誤解を含むものといえる。しかし，この「移民敵視」運動を鎮静化し，街の平穏を取り戻していくためには，その背景にある種々の問題を解決・改善していくことが必要となる。今後の課題としては，①極右勢力に対する対策強化（政治教育の充実を含む），②先住住民と移民との交流促進，③地域における政治家と住民の対話促進，④東独人と西独人の相互理解促進，⑤都市と地方の格差解消[85]などが挙げられる。

「移民敵視」運動の鎮静化は，統合政策においても重要性を有している。一般に統合政策は，「移民の社会統合」を図る目的で，「移民側が努力すべき課題」とみなされがちだが，統合の達成には受け入れ社会側の積極的関与や先住住民の意識改革が不可欠であり，移民と受け入れ社会側の双方向からの取り組みが必要となる[86]。移民に対する

(84) Berlin Institut für Bevölkerung und Entwicklung (Hrsg.), *Die demografische Lage der Nation*, Berlin, 2019, S. 6, 59. この調査は，人口，経済，教育，家族の 4 分野の 21 項目から，地域の「未来可能性」を評価したもので，総合評価 2.32-2.5 が最も高い地域，4.5-4.71 が最も低い地域と分類されている。

(85) ザクセン新聞が 2019 年州議会選挙後に実施した世論調査によると，「新州政府がまず取り組むべき課題」は「農村地域の発展」が 29.2% で最多であった（以下，「移民と難民」21.4%，「教育」16.6%）。Fabian Deicke „Ländlicher Raum ist das Top-Thema der Sachsen", *Sächsische Zeitung*, 2019.09.26. 都市と地方の格差の問題については，2038 年までに行われる石炭火力発電停止後の地域活性化が大きな鍵となる。石炭火力発電の停止は連邦政府の決定によるもので，該当するザクセン州，ブランデンブルク州，ザクセン＝アンハルト州，ノルトライン＝ヴェストファーレン州には連邦から構造改革のための補助金（計 400 億ユーロ）が交付される予定だが，さらなる地域衰退を懸念する地元住民の不安は大きい。一方，AfD は環境保護対策反対を党の新たなトップテーマに掲げて「エネルギー転換」を批判している。„Kritik am Klimaschutz ist neues Topthema der AfD", *Sächsische Zeitung*, 2019.09.30. エネルギー転換後の地域活性化がうまくいかない場合には，AfD 支持者のさらなる増加と地域の右傾化も予想される。

(86) 統合政策における双方向性が不十分であることは，ドレスデンや東独地域に限らず，西独地域にも当てはまる。拙著『ドイツの移民・統合政策——連邦と自治体の取り組みから』（成文堂，2018 年），231-232 頁を参照。

差別・偏見・暴力は受け入れ社会側の問題[87]であり，上記の課題①②は統合政策とも関連づけて進めるべきである。

　振り返ってみれば，西独も1955年にイタリアから労働者を受け入れてから「外国人嫌悪の政治」[88]などを経て，1998年の赤緑連立政権誕生によって外国人政策から移民政策への転換がなされるまでに半世紀を要した。東独地域は一方では西独モデルへの社会体制の転換を進めながら，他方では移民との共生も模索している途上にあり，現状をみてドレスデンやザクセン州，東独地域の人々を移民敵視的であると決めつけるのは早計であろう。2019年9月に行われた州議会選挙の結果，ザクセン州で初のCDU，緑の党，SPDによるケニア連立政権が誕生した。緑の党の与党参入により，ザクセン州やドレスデンにどのような変化が訪れるのか，AfDとの左右の二極化がさらに進むことになるのか，今後も地域の動きを長期的な視点でみていくことが重要である。

---

(87) ドイツの移民に対する差別については，拙著『ドイツの移民・統合政策』，117-137頁を参照。

(88) Dietrich Thränhardt (ed.), *Europe - A New Immigration Continent. Policies and Politics in Comparative Perspective*, Second Edition, Lit, 1996, pp. 210-213.

公募論文

ドイツ社会民主党青年部ユーゾーによる
ローカルな政治運動
—— 68年運動後のモスクワ系共産主義組織との協力に関する一考察

川﨑聡史

1 はじめに

　1960年代後半には世界各地で左派の学生を中心にした抗議運動が盛り上がったが，これは68年運動と呼ばれている[1]。西ドイツで運動に触発された若者は，60年代末以降も新たに普及した生活様式や文化活動を実践し続けたり，様々な左翼，社会主義，共産主義組織，ごく一部はテロ組織に参加したりした。中でも，多くの若者がドイツ社会民主党（SPD）青年部ユーゾー（Jusos/Jungsozialisten）に流入したことは特筆される[2]。この時期に活動を開始した若い世代の党員は，特に90年代以降のSPD，および1998年成立のゲアハルト・シュレーダー政権において中心的役割を担うことになった[3]。このことから68年運動とドイツの政治・社会の関係を考えるにあたり，当時のユーゾーの展開は，後に同盟90/緑の党（以下，緑の党）設立で重要な役割を果たす68年世代の活動家の動向と並んで重要なものと言えるだろう。

　60年代末からユーゾーは，68年運動中に議会外反対派（APO）[4]が取り上げた論点を積極的に議論することをSPDに求め，これまでの党のあり方に激しい批判を加えた。この「党内反乱」は，70年代から研究者によって検討されてきた。研究者が主に注目したのは，ユーゾーの主張内容と党内論争の経過，および活発化した青年党員に対する党の対応措置だった[5]。当時の若い党員は，社会主義社会の樹立という理想を追求したため，その過激な主張は様々な形で党幹部会からの制裁対象になった。しかし，その展開だけに注目することは，ユーゾーの活動の意義を縮減することになる。なぜならユーゾーは，確かに社会主義社会の樹立を求めていたものの，その要求の内容には，別の要素も含まれていたためである。当時のユーゾーの活動は，物質的な福祉よりも生活の質を重視する脱物質主義者が増加する市民の価値観の変化を反映していたと考えられる[6]。

　60年代末から70年代にユーゾーは，社会主義的な主張と脱物質主義に基づく要求を組み合わせ，ローカルな運動を行った。このことは，当時，旧来の社会主義的な左翼運動が次第に後景に退き，「新しい社会運動」が登場する時

（1）井関正久『ドイツを変えた68年運動』（白水社，2005年），9頁。

（2）ユーゾーには35歳以下のSPD党員が加入する。ユーゾーに参加する若者の数は，60年代末から70年代前半にかけて，かつてない規模で増加した。SPDへの35歳以下の新規入党者は，1966年に3万3742人だったが，1969年には5万1223人，1972年には10万2033人に達した。Vorstand der Sozialdemokratischen Partei Deutschland (Hrsg.), *Jahrbuch der Sozialdemokratischen Partei Deutschlands 1966-1967*, Bonn: Neuer Vorwärts-Verlag Nau & Co., o.J., S. 159; Vorstand der Sozialdemokratischen Partei Deutschland (Hrsg.), *Jahrbuch der Sozialdemokratischen Partei Deutschlands 1968/69*, Bonn: Neuer Vorwärts-Verlag Nau & Co., o.J., S. 261; Vorstand der Sozialdemokratischen Partei Deutschland (Hrsg.), *Jahrbuch der Sozialdemokratischen Partei Deutschlands 1973-1975*, Bonn: Neuer Vorwärts-Verlag Nau & Co., o.J., S. 269.

（3）西田慎『ドイツ・エコロジー政党の誕生——「六八年運動」から緑の党へ』（昭和堂，2009年），9頁。

（4）APOは，68年運動において中心的な役割を担った，労組，知識人，学生を中心とした社会運動である。APOは，SPDとキリスト教民主同盟・社会同盟（CDU/CSU）が，大連立政権を組んだこと，西ドイツ国内外の有事の際に政府に特別な権限を与える緊急事態法制が議論されていること，ベトナム戦争などに抗議した。井関正久『戦後ドイツの抗議運動——「成熟した市民社会」への模索』（岩波書店，2016年），35-36頁；西田『ドイツ・エコロジー政党の誕生』，20-23頁。

（5）ユーゾーによる主張の内容と党幹部会との対立に注目する研究の主な例としては，次のものが挙げられる。Horst Heimann, *Theoriediskussion in der SPD*, Frankfurt am Main / Köln: Europäische Verlagsanstalt, 1975; Dieter Stephan, *Jungsozialisten. Stabilisierung nach langer Krise? 1969-1979*, Bonn: Verlag Neue Gesellschaft GmbH, 1979; Martin Oberpriller, *Jungsozialisten. Parteijugend zwischen Anpassung und Opposition*, Bonn: Dietz, 2004.

（6）Ronald Inglehart, *The Silent Revolution. Changing Values and Political Styles Among Western Publics*, Princeton: Princeton University Press, 1977, p. 3; 西田『ドイツ・エコロジー政党の誕生』，11頁。

期だったことを反映している[7]。青年党員は，社会主義社会樹立を求めつつ，生活の質の向上や草の根民主主義の拡大を目指した。同時にユーゾーは，急進的な社会主義の理想を信じてこれを声高に主張したため，冷戦下ではしばしばSPDから制裁を受けた[8]。この時期には，マルクス主義と反共主義の対立という旧来の政治的要素と，市民による新たなタイプの要求という新しい政治的要素が交差していた。この２つの要素は，ユーゾーのローカルな活動において直接交わっていた。

しかし，このことは今までほとんど指摘されてこなかった。68年運動後のユーゾーによる地方での活動を検討した研究はあるものの，その分析対象はあくまで全国的なユーゾーの展開にあり，ローカルな運動に関する考察は補助的に行われたに過ぎない。1982年にK・ショーナウアーは，地方におけるユーゾーの活動にも注目したが，表面的な紹介にとどまっている[9]。J・ザイファートは，2009年の研究でケルンのユーゾーを検討した。彼女の研究の焦点は，当時の活動家個人がその後のSPDでどのようにキャリアを積んだかにあり，地方での活動自体にあるわけではない[10]。D・ジュースは，2019年の論文で全国的な「党内反乱」の展開の一部として地方でのユーゾーの活動の活発化を指摘したが，ローカルな運動自体の性格についてはそれほど深く考察してはいない[11]。それゆえ本稿は，ユーゾーのローカルな活動自体に新たに主眼を置き，60年代末から70年代の社会運動が持っていた時代特有の性質を検討する。

本稿は，特に共産主義組織との関係を手がかりにして，ユーゾーのローカルな活動の性質を考察する。その際にヘッセン州南部支部とハンブルク支部[12]での展開に着目する。なぜなら共産主義組織との協力を避けなかったヘッセン州南部支部の青年党員は，当時のユーゾーの全体的な方針を代表していたのに対し，ハンブルク支部における協

力を拒否する勢力は，SPD右派による共産主義組織に対する不信感を代表していたためである。ヘッセン州南部のSPDでは元々左派の勢力が強かったが，同地のユーゾーは，1969年にユーゾー連邦議長を輩出して「党内反乱」を主導した。他方，ハンブルクのSPDは，ユーゾーの急進性を特に警戒し，それを抑える機会をうかがっていた。ハンブルクSPDによる制裁措置が，ヘッセン州南部のユーゾーにも波及して紛争が発生した。この紛争は，ユーゾーのローカルな政治活動をきっかけに発生したが，これは60年代末から70年代初頭における社会主義的な主張と脱物質主義に基づく主張の交錯を反映していた。

本稿の検討対象になるのは次の点である。最初に，ユーゾーによる「党内反乱」とそれに伴い発生した共産主義組織との協力をめぐる問題を扱う。次に，ユーゾーとSPDの緊張関係が紛争に至ったハンブルクでの展開に注目する。さらにそこでの紛争が，ヘッセン州南部支部に波及した展開を検討する。これらを通じて本稿では，ユーゾーの活動の性格を考察し，青年党員がローカルな領域を積極的な運動の場に選んだ理由を明らかにする。

2 1969年以降のユーゾーと共産主義組織との協力をめぐる展開

1969年10月，SPD党首ヴィリ・ブラントが連邦首相に就任した。この政権交代は，戦後初めてCDU/CSUではなく，SPDが主導的な国政与党になったことから，西ドイツ史の画期のひとつとされる[13]。ブラント政権の新しさは，政権が掲げる目標にもあった。同月の施政方針演説でブラントは，「我々はより多くの民主主義を敢行したい」と述べて，大規模な社会改革を宣言し，市民の政治参加を歓迎した[14]。民主主義と改革を支持する性格を演出したブラント政権は，西ドイツ社会の変革を予感させ，特に

（7）西田『ドイツ・エコロジー政党の誕生』，70頁。

（8）Christoph Butterwegge, *Parteiordnungsverfahren in der SPD*, Berlin: Demokratische Verlags-Kooperative, 1975, S. 6-7.

（9）Karlheinz Schonauer, *Die ungeliebten Kinder der Mutter SPD. Die Geschichte der Jusos von der braven Parteijugend zur innerparteilichen Opposition*, Bonn: Verlegt bei Karlheinz Schonauer, 1982.

（10）Jeanette Seiffert, „*Marsch durch die Institutionen?". Die 68er in der SPD*, Marburg: Bouvier, 2009.

（11）Dietmar Süß, „Die neue Lust am Streit. »Demokratie wagen« in der sozialdemokratischen Erfahrungswelt der Ära Brandt", in: Axel Schildt / Wolfgang Schmidt (Hrsg.), *»Wir wollen mehr Demokratie wagen«. Antriebskräfte, Realität und Mythos eines Versprechens*, Bonn: Dietz, 2019, S. 125-141.

（12）ユーゾーは，SPDと同じく全国に22ある „Bezirk" から成り，さらに „Bezirk" は，複数の „Unterbezirk" から構成されていた。ユーゾーの „Unterbezirk" の下では „Arbeitsgemeinschaft" と呼ばれる組織が活動していた。本稿は，„Bezirk" を「支部」，„Unterbezirk" を「サブ支部」，„Arbeitsgemeinschaft" を「活動グループ」と訳した。ヘッセン州南部支部とハンブルク支部は，„Bezirk" レベルの支部である。この訳については次の文献を参考にした。ペーター・レッシェ／フランツ・ヴァルター（岡田浩平訳）『ドイツ社会民主党の戦後史――国民政党の実践と課題』（三元社，1996年），3-4頁。ユーゾーの組織構成については次の史料を参照。„Geschäftsbericht 1970/71", Bestand SPD Jungsozialisten Hessen-Süd. Archiv der sozialen Demokratie（AdsD）.

（13）このような見方をとる文献の代表例として，ここでは次のものを挙げるに留める。Edgar Wolfrum, *Die geglückte Demokratie. Geschichte der Bundesrepublik Deutschland von ihren Anfängen bis zur Gegenwart*, Stuttgart: Pantheon, 2007, S. 14.

（14）演説全文は次のウェブサイトを参照。https://www.1000dokumente.de/index.html? c=dokument_de&dokument=0021_bra&object= pdf&st=&l=de（2020年12月2日閲覧）

68 年運動で重要な役割を果たした若い世代からの支持を集めた[15]。

ブラント政権の新鮮さと改革への意欲からユーゾーは刺激を受けた。同年 10 月末にヘッセン州南部支部が，同州南部のエルトフィレ・アム・ラインに左派のユーゾー支部の代表を集め，ユーゾーの転換をアピールし，SPD に改革を促すための戦略を話し合った[16]。そこでの議論の結果が，12 月のミュンヘン全国大会で実行された。そこでは，ヘッセン州南部支部で活動するカールステン・フォークトが，党幹部会に忠実な前任者を 204 票対 15 票の大差で破って連邦議長に選出された[17]。フォークトは，68 年運動中に緊急事態法制反対運動を通じて台頭した，APO に近い人物だった[18]。彼は，APO の問題意識を党内に持ち込むことを公言していたため，批判者から「扇動家（Bürgerschreck）」と呼ばれていた[19]。

全国大会でユーゾーは，1959 年のゴーデスベルク綱領以降の SPD による国民政党路線を批判し，賃金労働者のための階級政党に回帰することを要求した。青年党員は，SPD は社会全体の民主化を目標に掲げているため，民主主義の担い手である労働者層から離れることはあり得ないと論じた[20]。ユーゾーは，西ドイツの基本法によって保障された民主主義を真に実現するように SPD に求めた。そのために青年党員は，SPD が西ドイツ社会の現状に対応する社会主義戦略を新たに検討し，それを実践することで最大の国民集団である賃金労働者と連帯し，既存の社会体制を根本から変革する必要があると主張した[21]。

社会の変革のためにユーゾーは，一般の市民がより多くの政治的責任を担える制度を構築することを要求した。市民は，選挙のような形式民主主義の手続きだけでなく，教育制度，住居と都市の生活環境，職場に関する問題についてより多くの参加機会を得るべきであるとユーゾーは主張した。青年党員は，「草の根での意思決定が中央の全体決定へと直接反映される組織形態」を作り出すことを求めた[22]。

この要求を実現するために，ユーゾーは SPD の地方組織を含めたあらゆる党内勢力と密接に協働することを宣言した。同時に，68 年運動の影響を受けていた青年党員は，草の根レベルで運動を行い，積極的に市民の要求を取り上げることを謳った。そのためにユーゾーは，SPD 以外の様々な組織との協力も求めていた[23]。青年党員は，労組，学生組織，キリスト教社会主義組織以外にも，共産主義組織と協力する可能性を排除しなかった[24]。

こうしたユーゾーの姿勢は，当時の SPD 幹部会にとっては不安の種だった。当時の SPD は，「新東方政策」によって東側諸国との和解と関係正常化を進めており，その成果が実りつつあった。西ドイツは，1970 年 8 月にはソ連とモスクワ条約，12 月にはポーランドとワルシャワ条約，1972 年 12 月には東西ドイツ基本条約を結んだ。他方，連邦政府が東側諸国と積極的に関わることは，西ドイツ社会を東ドイツに向けて開放することも意味した。そのため SPD は，自らの政治的信頼性を守るために，国内で共産主義勢力の影響力を増大させる意図はないことをはっきりさせる必要性を感じていた。これは，68 年運動に影響された若者が，東ドイツの第五列であると疑われることもあった当時の状況では尚更だった[25]。実際にユーゾーは，党幹部会を挑発した。1970 年 6 月にはフォークトとユーゾー連邦副議長ヴォルフガング・ロートが　党幹部会から正式の許可を得ずに，東ドイツの支配政党ドイツ社会主義統一党（SED）書記長ヴァルター・ウルブリヒトと会談を行った。このようなユーゾーの活動に対して，党幹部会は不安感をますます強めていた[26]。

そのため同年 11 月 14 日に党幹部会と党評議会と党統制委員会は，政治学者リヒャルト・レーヴェンタールの助言に従い，次のようないわゆる「離間決議（Abgrenzungsbe-

---

(15) ブラントへの支持率は，若い世代ほど高い傾向があった。1972 年の世論調査では，これまでの連邦首相のうち，最も優れているのは誰かという問いに対して，ブラントを挙げた回答者の割合は，年齢ごとに見ると次のようになっている。19 〜 29 歳：32%，30 〜 44 歳：26%，45 〜 60 歳：23%，61 歳以上：19%。Institut für Demoskopie Allensbach（Hrsg.）, *Jahrbuch der öffentlichen Meinung 1968-1973*, Allensbach / Bonn: Verlag für Demoskopie, 1974, S. 260.

(16) Christoph Butterwegge, *Jungsozialisten und SPD*, Hamburg: W. Runge Verlag, 1974, S. 58.

(17) „Der neue Bundesvorstand", in: *JS-magazin*, Sondernummer 1969, S. 2.

(18) „Ein Gegenkandidatur für Leber. Linker SPD-Flügel unterstützt Doktorand Voigt", in: *Frankfurter Neue Presse*, 28. Januar 1969.

(19) „Die Presseerklärung von Peter Corterier", in: *JS-magazin*, Sondernummer 1969, S. 15.

(20) Bundesvorstand der Jungsozialisten in der SPD（Hrsg.）, *Bundeskongressbeschlüsse der Jungsozialisten in der SPD 1969-1976*, Bonn-Bad Godesberg: SOAK Druck- und Verlags- GmbH, 1978, S. 2-3.

(21) „Haushammer Manifest der bayerischen Jungsozialisten", in: *JS-magazin*, Nr. 7, 1968, S. 4-7.

(22) Bundesvorstand der Jungsozialisten（Hrsg.）, *Bundeskongressbeschlüsse*, S. 2-3.

(23) Ebenda, S. 52; Karsten Voigt, „Wir Jungsozialisten wollen die Partei stärken", in: *Vorwärts*, 24. Februar 1971.

(24) Arnulf Baring, *Machtwechsel. Die Ära Brandt-Scheel*, 3. Aufl., Stuttgart: Deutsche Verlags-Anstalt, 1982, S. 389-390.

(25) Martin Gorholt / Karsten D. Voigt / Ruth Winkler（Hrsg.）, *„Wir sind die SPD der 80er Jahre". Zwanzig Jahre Linkswende der Jusos*, Marburg: SP-Verlag, 1990, S. 18.

(26) „Mit langem Haß durch die Institutionen", in: *Frankfurter Rundschau*, 23. Oktober 1970; Norbert Gansel, „Rechenschaftsbericht, Berichtszeit 7.12.1969-5.12.1970", Bestand Karsten Voigt. AdsD.

schluss)」を共同で発表した[27]。

「SPDと共産主義者の間には，活動共同体（Aktionsgemeinschaft）は存在しない。それゆえ党評議会は，全ての組織支部に対して，SPDの党員がDKP（ドイツ共産党——筆者）[28]，SEW（西ベルリン社会主義統一党——筆者），SDAJ（社会主義ドイツ労働者青年団——筆者），ベルリンFDJ（自由ドイツ青年団——筆者）の構成員と共に共同の催事を実行したり，共同の出版物を発行したり，共同の呼びかけやビラや招待状などに署名した場合や，SPDがDKP，SEW，SDAJ，ベルリンFDJによって操られた出版物に協力した場合には，その行動が党に損害を与える性格を持つことを指摘し，必要な場合には，党規律措置を行うことを要求する」[29]。

決議が名指しした対象は，全てモスクワ系の共産主義組織だった。これらは，東ドイツから直接的・間接的な指示と資金援助を受けて西ドイツと西ベルリンで活動していた。「離間決議」によってSPDは，西側諸国の自由民主主義と東側諸国の共産主義が対立状態にあると改めて指摘した[30]。SPDは，異なった社会秩序を持つ国家の平和的共存は支持するが，国内での共産主義組織との「イデオロギー的共存」は拒絶する姿勢をはっきりと示した[31]。

ユーゾーは，決議直後に開かれた12月のブレーメン全国大会で党を再び挑発した。青年党員は，決議「西ヨーロッパの資本主義（Westeuropäischer Kapitalismus）」で，これまでのヨーロッパの労働運動は分裂状態にあると述べ，ユーゾーにはこれを長期的に解決する使命があると論じた。そのために青年党員は，共産主義組織とも協力すると宣言した[32]。

全国大会に参加していたブラントは，共産主義組織への拒絶姿勢を示さないユーゾーに対して厳しい言葉で警告した。彼は，SPDはユーゾーの方針を絶対に許可しないことを強調し，「ユーゾーの活動グループが，若いSPD党員

の組織であると同時に，（独自の——筆者）路線決定を行う組織でありたいなら，党はほとんど必然的にその直接の動議を無視しなければならない」と述べた[33]。

しかし，青年党員は首相の警告にも従わなかった。ユーゾーが頑なに共産主義組織との協力を禁止しなかった理由は，そのローカルな活動の性質にあった。草の根レベルの政治運動を行う場合，共産主義組織との協力を完全に拒否することは，事実上不可能であるとユーゾーは考えていた。その理由は，ユーゾーがデモや集会を行う際にその参加者を選別できないためだった[34]。そのためイベントに共産主義組織が参加していたことを指摘すれば，SPDは「離間決議」を根拠にして，理論上はユーゾーを任意に制裁できるようになった。

3 交通状況の悪化とハンブルクにおける「赤点アクション」

こうしたSPDとユーゾーの緊張関係が，1971年の「赤点アクション」をきっかけに実際の紛争に至った。ハンブルクで発生したこの紛争は，ヘッセン州南部支部にも波及した。「赤点アクション」とは，近距離公共交通機関の運賃値上げに反対する市民運動であり，60年代末から70年代前半にハノーファーやケルンをはじめとする西ドイツの各都市で展開された[35]。これは，赤い丸のロゴを掲げて全国的なネットワークを持ちながら，地域住民が値上げに抗議するローカルな運動だった。運動参加者は，デモや集会以外にも道路封鎖のような非暴力的な直接行動を行うこともあった[36]。

このような交通問題は，脱物質主義に基づいてより良い都市環境を求める市民の意識と結びつき，70年代の市民運動の典型的な争点になった。当時新たに登場したタイプの市民運動組織である市民イニシアティヴは，これに積極

(27) „Ach du", in: *Der Spiegel*, Nr. 48, 23. November 1970.
(28) DKPは，1968年9月に設立されたモスクワ系の共産主義政党である。この政党は，西ドイツで1956年に禁止されたドイツ共産党（KPD）の元指導者たちによって結成された。DKPは，KPDと同じく東ドイツから指示と資金援助を受けて，西ドイツにおいて東側諸国の共産主義政権を擁護し，それへの支持を拡大させるために活動した。特に，SPDが進めていた「新東方政策」をソ連と東ドイツが歓迎したために，DKPもそれを支持した。このことからSPDはDKPの動向を警戒し，協力関係にはないことを明らかにしようとした。Gerd Langguth, *Die Protestbewegung in der Bundesrepublik Deutschland 1968-1976*, Köln: Verlag Wissenschaft und Politik, 1976, S. 272-277; 西田『ドイツ・エコロジー政党の誕生』，51-53頁。
(29) Vorstand der Sozialdemokratischen Partei Deutschland (Hrsg.), *Jahrbuch 1970-1972*, S. 555.
(30) „Ach du", in: *Der Spiegel*, Nr. 48, 23. November 1970.
(31) H・A・ヴィンクラー（後藤俊明／奥田隆男／中谷毅／野田昌吾訳）『自由と統一への長い道——ドイツ近現代史1933-1990年II』（昭和堂，2008年），291頁。
(32) Bundesvorstand der Jungsozialisten (Hrsg.), *Bundeskongressbeschlüsse*, S. 18-20.
(33) Schonauer, *Die ungeliebten Kinder*, S. 236.
(34) „Juso Hessen-Süd gegen jede Reglementierung", in: *Sozialistische Korrespondenz*, Nr. 5, 1971, Bestand Jungsozilisiten Hessen-Süd. AdsD; Wolfgang Streeck, „Zur Auseinandersetzung mit der KPD (DKP)", in: *JUSO*, Nr. 3/4, 1971, S. 15-17.
(35) Seiffert, *„Marsch durch die Institutionen?"*, S. 137-138.
(36) Wolf-Dieter Narr, „Bürger- und menschenrechtliches Engagement in der Bundesrepublik", in: Roland Roth / Dieter Rucht (Hrsg.), *Die sozialen Bewegungen in Deutschland seit 1945. Ein Handbuch*, Frankfurt am Main / New York: Campus Verlag, 2008, S. 353.

的に取り組んだ[37]。ユーゾーも「赤点アクション」に積極的に参加することをメンバーに求めていた[38]。

　交通問題が市民の関心を呼んだ理由は，西ドイツの交通状況と都市の生活環境が，一般的に悪化していたためだった。特にモータリゼーションの進展によって，交通状況が大きく変化した。公共交通機関の利用者は，乗用車も使用するようになった。1960年に450万台だった西ドイツの乗用車の数は，1969年までに1300万台へと増加した[39]。交通インフラの整備が追いついていないにもかかわらず，大量の自動車が都市部に乗り入れるようになった。都市部の一般道における乗用車は，鉄道に比べて約20分の1の輸送効率しか持たないため，過密化や交通渋滞が深刻になり，生活環境が悪化した[40]。さらに自動車の排気ガスを一因とするスモッグは，住民の健康を害していた。中でもハンブルクの大気汚染は深刻化していた。1965年までにハンブルクにおける肺と気管支の癌による死亡率は，1000人中12.8人を数えており，西ドイツの都市の中で最も高い数値を記録した[41]。加えて当時は交通事故件数が非常に多く，1972年には2万1000人が事故死した[42]。

　この状況に対応するため，1961年9月に連邦政府は「市町村の交通事情改善専門家委員会」を設置した。1965年6月に委員会は，連邦議会に大規模な交通インフラの拡張を提案し，中でも近距離公共交通機関は非常に大きい費用対効果を持つと論じて，その重点的な拡張を全国的に求めた[43]。さらに1967年10月に連邦交通大臣ゲオルク・レーバーが，1972年までに全国的に交通インフラを拡充することを目指す「レーバー・プラン」を発表した[44]。他方，この時点ですでに各都市はその拡張に取り組んでいた。ハンブルクは，戦後初の地下鉄拡張を1960年に開始した。

1965年にはハンブルク運輸連合（HVV）が設立された。この企業は，それまでの4つの鉄道会社による競合状態を解消し，ハンブルク高架鉄道株式会社（HHA）と協力して鉄道網を効率的に開発することを目指した[45]。

　鉄道網の近代化には多額の資金が必要だったため，行政からの支援を受けていたにもかかわらず，鉄道会社の経営状況は悪化していた。全国175の鉄道会社が加盟していた公共交通連盟（VöV）は，1971年に6億5000万マルクの赤字を抱えていた。さらに建築資材費と人件費の高騰，鉄道事業自体の減益から，近い将来に債務は10億マルクに達すると予測されていた[46]。HVVも同様に赤字を抱えていた。しかし，ハンブルク市政府経済大臣ヘルムート・ケルン（SPD）が，「費用回収の原則」を唱えて補助金による赤字補填の限界を示唆した。これを受けてHVVは，1971年初めに平均21%の運賃値上げを決定した[47]。

　このことは，同時期のユーゾーの要求に真正面から反していた。同年4月にユーゾーは，マンハイム会議を開催し，フランクフルト市長ヴァルター・メラー，ミュンヘン市長ハンス＝ヨッヘン・フォーゲル，マインツ市長ヨッケル・フックスをはじめとする有力な地方政治家と地方で推進すべき政策について包括的に議論していた[48]。そこでも交通問題は，重要なテーマだった。会議でユーゾーは次のことを求めた。人口密集地域での公共交通機関の運賃を無料にすること。現在の赤字は，連邦政府と州政府と市町村によって補填されること。今後，近距離公共交通機関の運賃値上げは一切行われてはならず，むしろ値下げされること[49]。これらの要求は，ユーゾーの全国的な活動方針として会議で採択され[50]，これらにはユーゾーの活動に批判的なフォーゲルのような地方政治家も同意してい

(37) 西ベルリンの都市研究所による1975年の調査では，「交通」問題に取り組む市民イニシアティヴの割合は，11.8%だった。これは，16.9%の「環境」と15.8%の「幼稚園・子どもの遊び場」に次いで3番目に多いカテゴリーだった。Peter Cornelius Mayer-Tasch, *Die Bürgerinitiativbewegung. Der aktive Bürger als rechts- und politikwissenschaftliches Problem*, Reinbek bei Hamburg: Rowohlt, 1976, S. 91.

(38) „Aktion ‚Roter Punkt' in Herford", in: *JS-magazin*, Nr. 7, 1970, S. 14-16.

(39) Axel Schildt, *Die Sozialgeschichte der Bundesrepublik Deutschland bis 1989/90*, München: R. Oldenbourg Verlag, 2007, S. 44-45; Wolfrum, *Die geglückte Demokratie*, S. 249.

(40) Elmar Oehm (Hrsg.), *Stadtautobahnen. Planung, Bau, Betrieb*, Wiesbaden: Bauverlag, 1973, S. 46.

(41) Adelbert Thiele, *Luftverunreinigung und Stadtklima im Großraum München. Insbesondere in ihrer Auswirkung auf epixyle Testflechten*, Bonn: In Kommission by F. Dümmlers Verlag, 1974, S. 37.

(42) „Fünf Kopeken", in: *Der Spiegel*, Nr. 27, 28. Juni 1971; Ulrich Herbert, *Geschichte Deutschlands im 20. Jahrhundert*, München: C.H. Beck, 2014, S. 811.

(43) 青木真美「ドイツにおける公共近距離旅客輸送の助成とその成果」『同志社商学』57巻5号（2006年），97-98頁。

(44) Winfried Süß, Sozialpolitische Denk- und Handlungsfelder in der Reformära, in: Bundesministerium für Arbeit und Soziales und Bundesarchiv (Hrsg.), *Geschichte der Sozialpolitik in Deutschland seit 1945*, Baden-Baden: Nomos, 2006, S. 57-58.

(45) „Schlauer geworden", in: *Der Spiegel*, Nr. 49, 27. November 1972.

(46) „Branche im Teufelskreis", in: *Der Spiegel*, Nr. 43, 16. Oktober 1972.

(47) „Fünf Kopeken", in: *Der Spiegel*, Nr. 27, 28. Juni 1971; Schonauer, *Die ungeliebten Kinder*, S. 295-296.

(48) Butterwegge, *Jungsozialisten und SPD*, S. 94-95; Schonauer, *Die ungeliebten Kinder*, S. 281.

(49) Bundesvorstand der Jungsozialisten (Hrsg.), *Bundeskongressbeschlüsse*, S. 55.

(50) Wolfgang Roth (Hrsg.), *Kommunalpolitik – für wen? Arbeitsprogramm der Jungsozialisten*, Frankfurt am Main: Fischer Taschenbuch Verlag, 1971, S. 21.

た[51]。

値上げの発表をきっかけに，抗議運動が組織された。3月28日にユーゾーのハンブルク支部は，反対運動の組織を決定した。4月からユーゾーは内部で議論を始め，19日に12人からなる「赤点」活動サークルを設立し，労組と反対運動について折衝を行った。しかし，6月1日のSPD市党大会では参加者の90％が値上げに賛成し，これを受けて市長ヘルベルト・ヴァイヒマン（SPD）も値上げ支持を表明した。ハンブルク市政府の与党だったSPDとFDPが値上げに賛成したのを受け，「赤点アクション」が組織された[52]。運動は6月2日に最初のデモを行い，2500人がハンブルク市庁舎まで行進し，市民2万2000人の署名を集めた。このことに驚いたSPDは，急遽4日に臨時党大会を開いたものの，そこでも値上げを認める決議を行った[53]。ハンブルクのユーゾー幹部会は，党指導者と歩調を合わせて値上げに賛成したため，多数決で解任された。その後を継いだユーゾー臨時幹部会は，6月14日に支部大会を開催し，「市党大会の決議は資本の利害と権力に対する降伏」であると述べて非難した[54]。

4 ヘッセン州南部支部への紛争の波及

値上げ前日の8月2日に開かれた抗議集会には，ユーゾーや労組を含めた26組織が参加した。参加者の中にはフォークトとロートもいた。フォークトが抗議集会に参加した理由は，ハンブルク近郊のエルムスホルン出身で，10代の頃はハンブルクの福音主義教会の青年組織で活動していたため，現地のユーゾーと強いつながりを持っていたからだった[55]。

抗議集会でフォークトは演説し，SPDの市政を激しく非難した。彼は，ハンブルクSPDは全国レベルのSPDを代表しておらず，官僚的であると述べた。彼は，特にハン

ブルクSPDによるユーゾーへの対応を共産主義政党の独裁体制と比較して批判した[56]。

フォークトの直後にDKP党員が演説を行い，これが大きな問題になった。ハンブルクSPD幹部会は，ユーゾーに厳しい措置を取ることにした。ハンブルクSPDは，この事件を党内での共産主義組織との関係をめぐる紛争のモデルケースにしようとした[57]。ハンブルクSPDが強気の対応に出た理由は，ハンブルクのユーゾーにおいてDKPに近い主張を行うシュタモカップ派（国家独占資本主義派）が，特に強い影響力を持っていたためだった[58]。シュタモカップ派は，ユーゾー全体のイニシアティヴを握ろうと積極的に活動しており，ハンブルクの党幹部会は警戒感を強めていた[59]。

ハンブルクのユーゾー臨時幹部会は制裁を恐れて退陣したものの，ハンブルクSPDの調停委員会は所属する8人の青年党員の追放決議を行った。加えて委員会は，フォークトにも同様の制裁を行うことを彼の所属支部に要求した。ユーゾー連邦幹部会はこの要求に反発し[60]，連邦事務局長ハンス＝ユルゲン・ヴィシュネフスキと連邦議会議員団長ヘルベルト・ヴェーナーは自制を求めたものの，ハンブルクはそれを無視して制裁を強行した[61]。

9月以降，フランクフルトのサブ支部の調停委員会がフォークトの審理を担当した。委員会に対して彼は，民主主義政党は権威主義的な構造を持ってはならないと主張し，政治活動の是非を政治家の個人的な良心に従って判断し行動する「自由な委任（freies Mandat）」を認めるように要求した[62]。

調停委員会は，フォークトの主張を受け入れた。当時の委員会委員長は，SPD左派の連邦議会議員カール・フレッド・ツァンダーであり，委員会では左派が多数派だった。そのため委員会は，フォークトへの党追放要求を次のような論旨で棄却した。「赤点アクション」に参加した組織の

(51) „Harter Tobak", in: *Der Spiegel*, Nr. 29, 12. Juli 1971.
(52) „SPD Hamburg ahndet Juso-Aktivitäten gegen Fahrpreiserhöhungen mit Parteiverfahren. Chronologie der Ergebnisse im Landesverband der JUSO Hamburg vom 28. März bis zum 20. Juni", in: *Sozialistische Korrespondenz*, Nr. 13, 1971, Bestand Jungsozilisiten Hessen-Süd. AdsD.
(53) „Zweitens korrupt", in: *Der Spiegel*, Nr. 32, 2. August 1971.
(54) „Harter Tobak", in: *Der Spiegel*, Nr. 29, 12. Juli 1971.
(55) „Karsten Voigt - links vom linken Flügel", in: *Wiesbadener Kurier*, 11. Dezember 1969.
(56) „Zweitens korrupt", in: *Der Spiegel*, Nr. 32, 2. August 1971.
(57) „Jusos sehen ‚grotesken Höhepunkt'", in: *Frankfurter Rundschau*, 7. September 1971.
(58) Baring, *Machtwechsel*, S. 391-392.
(59) シュタモカップ派は，11月にはハンブルクで「戦略文書」を発表し，ユーゾー全体の主張をDKPにより近いものにすることを求めた。Jungsozialisten in der SPD, Landesverband Hamburg, *Hamburger Strategiepapier vom 27.11.1971*, 5. Aufl., Hamburg: SWD-Dr. & Verlag, 1973, S. 5.
(60) „Juso-Bundesvorstand: Kein parteischädigendes Verhalten von Karsten Voigt", in: *SPD Jungsozialisten Pressemitteilung*, 7. September 1971, Bestand Jungsozilisiten Hessen-Süd. AdsD.
(61) Vorstand der Sozialdemokratischen Partei Deutschland (Hrsg.), *Jahrbuch 1970-1972*, S. 7; „Nr. 10. Zusatz zu Meldung Nr. 2. Wischnewski und Helmut Schmidt versuchten zu vermitteln", 10309, Sammlung Personalia, AdsD.
(62) „Ein Staatsanwalt schafft Ordnung", in: *Vorwärts*, 16. September 1971.

数から，運動が住民の多くから支持を受けていることは明白であり，そうした状況においてユーザーが運動に参加しないで孤立することは政治的に誤りである。たとえ DKP が参加していてもこの事実は変わらない。市民イニシアティヴは，参加者を限定できない自発的な運動である。ハンブルクの動議を受け入れた場合，ユーザーは DKP が参加していれば，市民イニシアティヴから常に除外されることになるが，これは政治的には受け入れられないと委員会は論じた(63)。

ハンブルク SPD は，フランクフルト SPD の穏健な態度に強く反発した。ハンブルク SPD 党首オズヴァルト・パウリッヒは，自ら調停委員会の委員長に就任した。彼は，ハンブルク市議会議員で，ハンブルク SPD に近い立場をとるユーザーであるハンス＝ウルリッヒ・クローゼを通じてフォークトの追放を再び強く求めた。ハンブルク SPD 事務局長ヴェルナー・ノルも，「赤点アクションが DKP に操られていることは，ハンブルクでは誰でも知っている」と非難した(64)。さらに彼は，ユーザーの3分の1は，SPD の学生組織である社会民主主義大学同盟（SHB）に所属し，多くの大学で DKP の学生組織と協力していると指摘し，ユーザーと共産主義組織の近しい関係を批判した(65)。これは，フランクフルト大学の学生であるフォークトに対する批判でもあっただろう。しかし，ツァンダーは，フォークトに制裁措置を行う理由はないとして，ハンブルクからの要求を拒絶し続けた(66)。

この対立があまりにも激化したため，ハンブルク市議会議員ラインハルト・ホフマン（SPD）は，党員100人あまりの署名を集めて紛争の解決を求めた。このような事態収拾の試みをハンブルクの SPD 幹部会は，「有能な馬鹿者（nützliche Idioten）」によるものとし，党の一体性の保持にとっては相応しくないと非難した(67)。さらにヴィシュネフスキから依頼されて，首相ブラントと副党首ヘルムート・シュミットが両者の間の調停を試みた。それでもパウリッヒは，強硬姿勢を崩すことはなかった(68)。

最終的にフランクフルト SPD は，ハンブルクの要求に譲歩した。フォークトは2年間，党の役職に就くことを禁止する処分（Funktionsverbot）を受けることになった。ハンブルクでは8人のユーザーが追放された一方で，フォークトの処分は軽かった(69)。たとえ彼を追放しても，SPD は青年党員を抑えられなかっただろう。なぜなら当時のユーザーが党への反抗心を示すことで，若い支持者をさらに獲得することが期待できたためである(70)。

この期待は正しかった。ユーザーが党よりも左翼的であることは，当時の SPD が若者の人気を集めている一因だった。1972年11月の連邦議会選挙で SPD は，1969年よりも3.1％高い45.8％の得票率で戦後初めて第1党になった(71)。これは，若い有権者層から平均以上の票を得たためでもあった。1972年6月の連邦選挙法改正で，選挙権年齢が21歳から18歳に引き下げられたことは，ユーザーに有利に働いた。調査によると，18〜24歳の若者の54.7％が SPD に投票した(72)。さらにこの年齢の若者の3分の1は，SPD よりも左翼的なユーザーの主張に共感していた(73)。加えてこの時期のユーザーは，冒頭に述べたように非常に多くの新規参加者を獲得した(74)。若い党員は，地元のユーザーで活発に活動した。ユーザーの活動グループの数は，1972年末に4000に達した。そこではヴィリ・ブラントに因んで「ヴィリ投票者」と呼ばれた，政治的意識の高い若者が運動していた(75)。

---

(63) Ebenda; „Jusos sehen ‚grotesken Höhepunkt'", in: *Frankfurter Rundschau*, 7. September 1971.

(64) „Ein Staatsanwalt schafft Ordnung", in: *Vorwärts*, 16. September 1971.

(65) 1971年6月時点で SHB は，8つの大学で DKP の学生組織と協力して学生自治会を率いていた。„Dufter Typ", in: *Der Spiegel*, Nr. 27, 28. Juni 1971.

(66) „Antrag unbegründet", in: *Telegraf*, 27. November 1971.

(67) „Nützliche Idioten", in: *Der Spiegel*, Nr. 38, 13. September 1971.

(68) „Ein Staatsanwalt schafft Ordnung", in: *Vorwärts*, 16. September 1971; „Nr. 10. Zusatz zu Meldung Nr. 2. Wischnewski und Helmut Schmidt versuchten zu vermitteln, Karsten Voigt 1969-1977", 10309, Sammlung Personalia, AdsD.

(69) ロートも同じ制裁を受けたものの，両名への処分は最終的に実行されなかった。„dpa 214 id. SPD. Frankfurter SPD-Kommission. Kein Verstoß gegen Voigts, 25.11.1971, Karsten Voigt 1969-1977", 10309, Sammlung Personalia, AdsD; Schonauer, *Die ungeliebten Kinder*, S. 297.

(70) „Ein Staatsanwalt schafft Ordnung", in: *Vorwärts*, 16. September 1971.

(71) Bundeswahlleiter (Hrsg.), *Ergebnisse früherer Bundestagswahlen*, Wiesbaden: Der Bundeswahlleiter, 2018, S. 16. この文献は次のウェブサイトで閲覧できる。https://www.bundeswahlleiter.de/dam/jcr/397735e3-0585-46f6-a0b5-2c60c5b83de6/btw_ab49_gesamt.pdf（2020年12月1日閲覧）

(72) Ebenda, S. 107.

(73) 他方，18〜23歳の若者の3分の1は，ユーザーの主張を行き過ぎと見ていた。同様の見方をする35歳以上の有権者は50％だった。„Jeder Dritte den Jusos näher als der SPD", in: *Der Spiegel*, Nr. 43, 16. Oktober 1972.

(74) Vorstand der Sozialdemokratischen Partei Deutschland (Hrsg.), *Jahrbuch 1970-1972*, S. 306; Vorstand der Sozialdemokratischen Partei Deutschland (Hrsg.), *Jahrbuch 1973-1975*, S. 269.

(75) ユーザーの活発な活動は，70年代前半特有の現象だった。その後，ユーザーは，内部対立とそれに伴う党からの制裁によって，次第に活力を失った。1976年の連邦議会選挙の時期には，ユーザーの不活発さが，SPD 内で問題視されていた。同年春の世論調査では，

またハンブルクとの紛争は，フォークトのキャリアに悪影響を及ぼさなかった。1972 年 2 月のオーバーハウゼン全国大会で，彼はすでに 2 年務めたことを理由に連邦議長に立候補せず，副議長に選出された。代わりにロートが，202 票中 156 票を得て議長に選出された[76]。幹部会の顔ぶれがあまり変わらなかったことで，党指導者との衝突も辞さない活動方針をユーゾーの多数派が支持していたことが改めて明らかになったと言えよう[77]。

5 終わりに

本稿ではまず，60 年代末から 70 年代初頭にかけて共産主義組織との協力の是非をめぐって発生した，ヘッセン州南部支部のユーゾーが関わった紛争を扱った。1969 年以降，ユーゾーは党の既成構造を強く批判し，「党内反乱」を開始した。そこでユーゾーは，「真の民主主義」を実現することを掲げて，地方の SPD 組織だけでなくローカルな社会運動と積極的に協力し，市民を動員することを目指した。しかし，このことは SPD 幹部会を不安にさせた。「新東方政策」を背景に SPD は，1970 年 11 月にモスクワ系の共産主義組織と関わることを認めないと宣言した。これにユーゾーは反発した。その理由は，ローカルな政治活動において共産主義組織との協力を完全に拒絶することは難しいためだった。

両者の対立は，1971 年にハンブルクにおける近距離公共交通機関の運賃値上げに反対する「赤点アクション」で先鋭化した。反対運動には，ヘッセン州南部支部所属のユーゾー連邦議長フォークトも参加し，激しい SPD 批判を行った。ハンブルク SPD は，抗議集会に DKP 党員が参加していたことを理由に，フランクフルト SPD に彼の追放を要求した。ハンブルクの一部のユーゾーは，地元のSPD との協調を重視して幹部会側についたものの，青年党員の多数派はハンブルクの SPD 幹部会と対決する姿勢を支持した。

「赤点アクション」をめぐる事件の重要性は，当時のローカルな政治活動の性格を端的に示していることにある。1971 年のマンハイム会議のようにユーゾーの活動方針は，SPD の地方政治家から支持を受けていた。そのため党内の反共主義的な立場は，ユーゾーのローカルな活動を完全に制限するには至らなかった。紛争の焦点は，抗議集会でのフォークトによる過激で問題含みの発言にではなく，イベントへの共産主義組織の参加にあった。議会外運動をする以上，ユーゾーと共産主義組織が同じ運動に参加することは避けられないという認識は，ユーゾー以外も共有していた。とりわけ，多くの市民が SPD 市政府による公共交通機関の運賃値上げに反対している状況において，共産主義組織が関与しているからと言って市民イニシアティヴとの協力を断念することは政治的に間違っていると，少なくとも SPD 左派は考えていた。ハンブルク SPD 幹部会は共産主義組織との協力は絶対に拒否すべきだと主張したものの，この立場は党内からの反発も生んでいた。

これらのことから，ローカルな領域は，ユーゾーにとって非常に活動しやすい場だったと言えよう。青年党員は，自らの主張について地方政治家からの支持を取り付けつつ活動した。この方針は，ユーゾーのメンバー間で態度の不一致を生むことがあったものの，地域の政治家の支持を得ることで，共産主義組織と協力したとしてもユーゾーのローカルな活動が決定的に妨げられることはなくなった。その上でユーゾーは，市民運動と協力して自らの政策を堂々と主張できた。つまり政治活動を円滑に行うのに適した場所を求めるプラグマティズムと，他勢力と安易に妥協せずに自らの政治方針を実行しようとする理想主義の弁証法の結果，ユーゾーにとってローカルな領域は重要な活動の場になったのだった。

ユーゾーに投票すると答えた 18〜23 歳は，39.8％に減少した。他方，CDU/CSU を支持すると答えた若者の割合は，44.5％に増加した。„Jugend 76. Lieber Gott mach mich krumm", in: *Der Spiegel*, Nr. 15, 5. April 1976; „Machtwechsel ist möglich geworden", in: *Der Spiegel*, Nr. 16, 12. April 1976; Wolf-Dieter Narr/Hermann Scheer/Dieter Spöri, *SPD. Staatspartei oder Reformpartei?*, München: R. Piper, 1976, S. 135.

[76] Butterwegge, *Jungsozialisten und SPD*, S. 104.
[77] „Nicht mehr auf Kriegsfuß. In Oberhausen arrangieren sich die Jusos mit der SPD", in: *Die Zeit*, Nr. 9, 3. März 1972.

書評

『ハンナ・ヘーヒ──透視のイメージ遊戯』
[香川檀 著]
(水声社，2019 年)

石田圭子

　ハンナ・ヘーヒという女性アーティストの名前は日本ではまだ一般にあまり知られていないと思う。彼女の名を知る人であっても，おそらく念頭に浮かぶのは「20 世紀初頭にベルリン・ダダで活動した女性アーティスト」「フォトモンタージュを用いたアーティスト」といった断片的知識なのではないだろうか。この時代のアヴァンギャルド運動に関心をもつ私自身，ヘーヒについての知識は実際にその範囲を大きく超えるものではなく，とくに彼女の作品についてはかろうじて初期のダダの頃のものを知る程度であった。しかし本書によって，彼女の創造的活動がけっしてベルリン・ダダの時代で終わるものでも，そこを頂点とするのでもなく，晩年に至るまで紡がれた長い冒険であったことを知った。

　本書はヘーヒの評伝であると同時に，彼女の作品素を分析した本格的なイメージ研究である。日本で初めて著されたヘーヒのモノグラフでもある。私自身はまだ経験がないが，ある一人のアーティストを取り上げたモノグラフを書くというのは難しい仕事だと思う。いうまでもなく一人の作家の人生と作品は緊密に結びついている。したがってそのアーティストがどのような人間でどのように生きた人なのかを紹介する一方で，その作品についても説明しなければならない。フォーマリズムの批評などが現れて作品を語るのに作家の人生は不要だということになり，それについて語るのは不純であり，むしろ十全な作品理解から遠ざかることだという傾向すら生まれたが，人間の表現である以上，作家の人生とその人が創造した作品とを完全に分けて考えることはほぼ不可能である。そうであっても，ピカソのような誰もが知る有名なアーティストであれば，作品分析のみでモノグラフは完結するかもしれない。しかしヘーヒの場合はそうではない。作品だけではなく彼女の人生についても語る必要があるだろう。これは当たり前のことのように思えるかもしれないが，実際にモノグラフを書く場合，そのバランスは筆者にとって非常に難しい問題になるにちがいない。とくに書き手が一般向けの美術案内ではなく，学問的に誠実で本格的な美術研究を試みようとする場合にはそうだろう。

　加えてその人生が波乱万丈で，様々なドラマを含んでいるような場合には，むしろその取り組みは困難になると思われる。ハンナ・ヘーヒの場合はまさにそうである。彼女の人生はラウール・ハウスマンとの愛憎に満ちた恋愛関係，当時にあってはスキャンダラスな同性愛，ナチ政権下の迫害と隠棲といった人の好奇心を引きつけるようなエピソードには事欠かない。しかしそうすると，こうした人生の出来事にばかり目が行きがちで，肝心の作品分析が疎かになりがちになってしまう。実際に，著者が本書の冒頭でも触れているように，これまでヘーヒが紹介される場合には，そうした作者のプライヴェートな人生の方にどうしても引きつけられ，そこに焦点が当てられ強調されるという傾向があった。

　著者はこうしたヘーヒをめぐる語りの不均衡を意識しつつ，長いヘーヒの生涯（彼女は 88 歳まで生きた）を追いかけ，彼女の人生に分け入る一方で，その時々の主要作品を取り上げて分析していくという両方向からヘーヒの芸術に迫ろうとしている。ハンナ・ヘーヒの作品研究に繰り返し立ち返り，長年にわたって取り組んできた著者は，ここであらためて彼女の人生と正面から向かいあい，彼女の作品と人生，この二つの間でバランスをとりながら，ヘーヒという一人のアーティストの姿を見事に浮かび上がらせている。

　そうした著者の意図において，ヘーヒの作品の全体像を読者に示すことは何にもまして重要なことであったにちがいない。実際，本書にはヘーヒの作品のカラー図版が豊富に含まれている。これは読者にとって大変ありがたい情報である。それによって読者は晩年に至るまでの彼女の創造の軌跡，作品の変化と同時にそこに通底する一貫性や彼女の作品の特徴を視覚的にも追うことができる。著者は，ダダ時代は彼女の芸術家人生の「春」に過ぎず，その後の 10 年間こそ彼女が自身を大きく開花させた「盛夏」であったと言う。実際に図版はそのことを示している。20 年代後半から 30 年初頭にかけてのヘーヒの作品は素晴らしい。色彩や構成に秀で，コラージュの効果を最大限に生かした作品は，ダダの時代を過ぎた後にも彼女がコラージュ／モ

ンタージュの技法を真摯に探求し続け，自身のものにしたことを明らかにしている。そうしたいまだ十分に理解されていないヘーヒの作品の精華と芸術的到達点を示すこと，それは本書が第一に目指したことだと思われる。

しかし作品のみを語るとしたら，ヘーヒの場合には片手落ちになってしまう。モノグラフの語りについては前述のとおりであるが，ヘーヒの場合にはとくに，論者は彼女の人生についても深く立ち入らざるをえない。というのも，著者も述べているように，ヘーヒの作品は彼女の人生と切り離しがたく密接に関わっており，彼女の作品の素材やテーマには彼女の人生が文字通り織り込まれているからである（このことが従来のヘーヒについての語りが私生活偏重に陥りがちな理由でもあっただろう）。

例えば，ヘーヒは1916年と1918年に続けて人形の制作をしている。それは彼女がハウスマンの子供を宿し，そして妊娠中絶をした直後の時期にあたる。「手芸的かつグロテスク」なこれら二体の人形についてヘーヒ自身は生涯口を閉ざし，何も語らなかった。しかし，そこにその経験をめぐる彼女の苦悩が刻まれていることは一目瞭然である（その後も赤子のモティーフは彼女の作品に繰り返し現れることになるが，これは中絶という経験が彼女にとってどれだけ重大なものであったかを物語っているだろう）。おそらくグロテスクでありながらもどこかユーモラスな人形の制作は，それを通して彼女自身が危機的な経験を乗り越えるための方法でもあったのだろう。

また，彼女のコラージュ／モンタージュ作品には手芸のパターンがよく用いられている。ここには当時ウルシュタイン社（有名な『ベルリン挿絵入り新聞』のほか，女性向け雑誌を発行していた）の手芸部でイラストレーターとして働いたヘーヒ自身の経験が映し出されている。手芸のモティーフは20世紀前半の抽象芸術や前衛芸術作品の中にもよく現れたが，そこでの意味合いはヘーヒの場合とは異なっている。前者の場合，それは平面性の強調やハイ・アートの意識的な転覆という試みと密接に関わっていた。つまり，彼らにとって手芸モティーフはそれ自体として意味を持つというよりも，芸術理念の上で利用される素材に過ぎなかったのである。それに対してヘーヒの手芸モティーフは何よりも同時代を生きる女性への共感の証であった。刺繍の図案や裁縫パターンをデザインする女性工芸家（これは工芸学校で学んだヘーヒ自身でもある），さらには家庭や工場で手芸の労働に勤しむ同時代の女性たちに寄せたメッセージであり，オマージュだったのである。

加えて本書ではヘーヒのコラージュ／モンタージュ作品はしばしば友人や知人たちへの「親密な贈り物」であり，コミュニケーション・ツールであったという興味深い指摘もなされている。彼女は恋人だったハウスマンをはじめ，ハンス・アルプやトリスタン・ツァラといったダダの仲間との交友の中で，コラージュを用いた「作品」をしばしばやりとりしていた。これは彼女の日常の交流と彼女の作品制作がいかに近接し，親密に関わっていたかということを示している。それはまた，ヘーヒの作品の意味を探索することはそのまま彼女の交友の探索とも通じることを意味する。

以上のことが示すのは，作品制作はときに彼女の生そのものであったという事実にほかならない。本書はこうしたヘーヒの人生と作品を繊細に織り上げ，パッチワークし，そこからヘーヒという女性アーティストの独自性を照らし出そうと試みている。

ではその独自性はどこにあるのだろうか？　この答えを出すのが本書のもう一つの課題である。著者はダダとの関係ばかりが強調されがちなこれまでのヘーヒの語られ方に疑問を投げかけ，ダダとの距離を測りなおそうとしている。ヘーヒはフォトモンタージュの創始者の一人とされ，美術に新たなフィールドを開いたアーティストとして讃えられている。しかし，その創始者が誰であるのかについては議論がある。あるいは，ある意味フォトモンタージュはベルリン・ダダの共有財産であったともいえるかもしれない。少なくともヘーヒの初期のフォトモンタージュ作品は，ハウスマンとの緊密な共同作業の結果として生み出されたものである。そこからどのようにしてヘーヒ独自の要素を取り出すことができるだろうか？　ヘーヒの作品はどこまでダダ的であり，どこからがヘーヒ自身のものであったのだろうか？

著者はダダ期以降のヘーヒの人生と作品を丁寧にたどることでこの課題に挑んでいる。他のダダイストがまもなくフォトモンタージュという手法を（それを政治的メッセージの伝達手段としたハートフィールドを除けば）使用しなくなるのに対し，ヘーヒは生涯を通じてコラージュ／モンタージュという方法を探求し続けた。その探求の継続の中に著者が見いだすのが，本書の副題にも示されている，イメージをめぐる「遊戯」である。写真のイメージを元の文脈から切り離して断片としたうえで，全く関係のない，別次元にあるそれらイメージの断片同士をぶつけてイメージを解放してやること，それをヘーヒは「遊戯」と呼んでいた。

著者はこの「遊戯」について，ベンヤミンが複製技術の可能性として触れた「遊戯」と呼応すると述べている。しかし，こうした「遊戯」はいうまでもなく当時の前衛芸術の志向でもあり，とりわけダダイズムが好んで選んだ方法であったはずである。そうすると，ヘーヒの独自性とはむしろダダがダダでなくなった後もダダの方法を追求し，忠実にダダイストであり続けようとした点にあったということになるのだろうか。このように考えたとき，ヘーヒがベルリン・ダダ時代の仲間たちの作品やドキュメントを戦時

中も手放さず守り続け、「ダダの遺産の管財人」となったという事実も示唆的であるように思われてくる。

　しかし、もちろんヘーヒはひたすらダダの遺産を守り、ダダを徒らに繰り返していたわけではない。もしそうだったら、旧弊に止まることを唾棄したダダの精神にそもそも反していることになる。注意深く見れば、そもそもヘーヒのダダ時代のフォトモンタージュにも他のダダイストと異なる点がある。そこには見る者へそっと目くばせするような茶目っ気を含んだ（女性的というべきだろうか？）「遊戯性」があり、著者が指摘するように、独自の空間性と運動性がある。加えて、ヘーヒはダダ時代の後に彼女のフォトモンタージュをさらに発展させていった。ヘーヒは30年代には様々な雑誌から切り抜いた写真を貼り込んで、ヴァイマール時代のイメージのアーカイヴのようなアルバムを作り上げた。何の目的で作られたのか分からないこの謎めいた「作品」について、著者は「メディア・イメージの再編」を意図するものであり、60年代のコンセプチュアル・アートを予示するものだったと解釈している。また、ヘーヒが写真のコラージュ原理を絵画に応用したり、レントゲン写真のイメージを利用した絵画の実験を行ったり、アポロから送られてきた地球の映像に興奮したり、各時代の新しいメディアやテクノロジーがもたらす新しい知覚経験に絶えず関心を抱いていたという点に注目する。つまり、ヘーヒは知覚の実験という次元においてダダの「遊戯」を新しい時代の中で刷新していったのであり、フォトモンタージュの可能性を追求することで知られざるベルリン・ダダの「未来」を作り続けていたのである。ある意味逆説的かもしれないが、そこにこそヘーヒの独自性はあったということになるだろう。

　しかしそうだとしたら、そこに一抹のイロニーも感じざるをえない。なぜならば本書の中でも述べられているように、ヘーヒはダダイストとともに活動していた時期にもそれ以降にもベルリン・ダダの正式なメンバーとしてみなされることがなかったからである。ハウスマンは後に、ヘーヒが彼らの運動の正式メンバーではなかったのに、その証人として語っていると非難した（戦後のベルリン・ダダの再評価にあたってヘーヒの証言と彼女が守り続けたダダのドキュメントが大きく貢献したことを思えば、まったくもってひどい言い草である）。著者はそうしたダダという前衛運動における女性の存在についても目を向けている。チューリヒを震源とし、パリ・ベルリン・ニューヨークにも波及したダダ運動には、実は複数の女性が居合わせていた。彼女たちはダンサーや詩の朗読者としてダダの催しに参加していたの

である。しかし、ダダをめぐる記述の中で彼女たちの存在は抜け落ち、無視されている。ヘーヒもその一人だった。

　そこで著者は「いったい彼女たちは何者だったのだろうか」と問いかける。これは美術史におけるジェンダーという問題に関わる大きな問いでもある。これはダダを再構成するにあたっての歴史の語りの問題と根深く関わっている。当時ダダイズム運動の主導権を握っていたのは男性だったということは紛れもない事実である。これはアーティストとして活動し、ふさわしい地位を築くことが女性にとって著しく困難であった当時の状況を思えば当然のことであった。しかしそれ以上に重要であるのは、男性のダダイストが当時の運動を積極的に語り、歴史に名を刻もうとするのに対し（これはグロスとハウスマンの間でフォトモンタージュの創始者をめぐってなされた論争に典型的に表されている）、女性アーティストは、謙遜の感情や自信の無さから、ある運動における自身の貢献を積極的に語ろうとしない傾向がある。そのため女性の存在は美術史の記述からしばしば漏れ落ちてしまうのである。

　ハンナ・ヘーヒのモノグラフである本書は、そうした歴史上の忘却から女性アーティストを救い出そうとする試みの一環としても重要な意味を持つように思う。もちろん、日本での知名度は高くないとはいえ、ヘーヒの美術史上の意義は高く評価され、美術史の中にすでにその名は刻まれている。彼女が今後忘却の海の中に再び沈む可能性は少ないだろう。しかし、本書がそうした美術史の偏りを修正する試みに連なっていることは間違いない。今後も美術の歴史の語りの中で見えなくされていた女性アーティストが発見される可能性は大いにあるだろう。「美術におけるジェンダー」を問いかける本書は、今後そうしたアーティストを語り、分析するにあたって一つの参照点となるのではないだろうか。

　本書には以上に述べたことのほかにも、例えばヴァニタス画という視点からのヘーヒ再考やヘーヒと日本との出会い、ナム・ジュン・パイクをはじめとするフルクサス・メンバーからのヘーヒへのアプローチといった、思いがけない小テーマが含まれている。ヘーヒを論じた本書はヘーヒだけに閉じるのではなく、彼女の存在が20世紀の美術の中に落とした波紋の豊かな広がりも示している。この本によって読者は、ハンナ・ヘーヒという20世紀を生き抜いた女性アーティストを再発見するだけではなく、外部と接触し、相関しながら複雑に発展していった20世紀美術史の中の新たな導線を見出すことへと誘われるだろう。

書評

『戦後オーストリアにおける犠牲者ナショナリズム ——戦争とナチズムの記憶をめぐって』
［水野博子 著］
（ミネルヴァ書房，2020 年）

川喜田敦子

1 はじめに

　本書は，第二次世界大戦後のオーストリアにおいて，「オーストリア国民」という存在が意識のうえでどのように作り上げられていったかを論じたものである。本書の問題意識は序章で詳しく展開される。著者は，「オーストリア国民」という意識を形成する鍵となったのは「犠牲者ナショナリズム」であるとして，それを「ドイツ国民か，オーストリア国民か」，「戦争とナチズムの過去との付き合い方」という 2 つの大きな問題系の「結節点」（p.22）にあるものとして位置づける。

　19 世紀に大ドイツ主義ではなく小ドイツ主義に基づくドイツ帝国が成立をみるなかで，オーストリア＝ハンガリー帝国のドイツ系の人々は，「ドイツ人」の統一プロセスから取り残されることになった。「ドイツ国民か，オーストリア国民か」という問いはここに端を発する。多民族帝国であったオーストリア＝ハンガリー帝国が解体した後，1918 年に成立したオーストリアでは，国民国家としての国民意識は希薄だった。そのオーストリアが，第二次世界大戦後，オーストリア・ファシズムとナチズムという二重の過去の重荷を背負って再出発したとき，「オーストリア国民」の国家を安定させるための拠り所とされたのが，自分たちは戦争とナチズム／ファシズムの犠牲者だという集団的な国民意識だった。

　オーストリアで自国の現代史を見直す試みが急速に進展したのは 1980 年代以降のことである。この時期には，なぜ，戦争とナチズムの過去に対峙することなく社会が成り立ってきたのかが批判的に問い直されるようになった。しかし，戦争とナチズムの犠牲者としての自己像は，「ドイツ」ではなく「オーストリア」という独自の国民としての意識を形成する基盤であり，その問い直しは，「オーストリア国民」という自己規定の正統性を揺るがすようなインパクトをもった。

　本書では，こうした視角から，オーストリアの国民国家形成における「過去」のインパクトが論じられるが，「犠牲者」という自己意識が国民に広く共有されていくにあたり，「ファシズムの犠牲者」，「戦争犠牲者」，「元ナチ」という 3 つの集団がどのように「オーストリア国民」へと統合されていったのか。以下，本書の構成に沿って内容を確認したうえで，本書から考えさせられたことを述べていくことにしたい。

2 第Ⅰ部「犠牲者国民という射程」

　第 1 章で，再建されたオーストリアの政治状況が説明された後，続く第 2 章から第 4 章では，ナチ時代に様々な経験をした人々が，「犠牲者」というカテゴリーに等しく包摂されていった経緯が描かれる。第 2 章で取り上げられるのは，「ファシズムの犠牲者」，すなわちファシズムに対する抵抗運動の闘士である。自国の解放に向けた闘争に貢献した抵抗運動の犠牲者の顕彰と扶助はオーストリア国家の正統性に大きな意味をもつと同時に，共産党にとっては彼らこそが自党の正統性を担保する存在だった。「ファシズムの犠牲者」というカテゴリーには，それに加えて，オーストリア・ファシズムの流れを汲む人民党と，その体制の下で弾圧を受けた側にあたる社会党の妥協により，オーストリア・ファシズム体制下で迫害された人々も，ナチ体制下で迫害されたオーストリア・ファシズム勢力もともに含まれることになった。結果として，相互に被害＝加害の関係にある者たちを含む主要三政党の関係者がいずれも「ファシズムの犠牲者」というカテゴリーにまとめられることになったが，三党の妥協のうえに抵抗運動の闘士らの「犠牲者性」を国民統合のツールとして利用しようとする試みは，冷戦が先鋭化するなかで頓挫してしまった。

　「ファシズムの犠牲者」というカテゴリーは包摂的であっただけではない。第 3 章で述べられるように，ユダヤ人やロマは，このカテゴリーから当初は排除されていた。彼らの処遇は次第に改善されていくが，小物ナチの再統合

と並行して進んだこのプロセスは，誰もが犠牲者だという論理によって国民統合が進んだ過程として理解される。犠牲者国民としてのオーストリア国民の成員となるためには，「加害者」から「犠牲者」へと位置づけの変化した元ナチらと共存できるレベルにまで自身の「犠牲者性」を忘却せざるをえなかった（p.94）という指摘が重い。

これに対して，第4章で扱われるのは，「戦争犠牲者」である。両大戦の戦争障がい者，戦没者の遺族など多様な人々を含み，全体で50万人を超える「戦争犠牲者」は，「ファシズムの犠牲者」と比べるとはるかに大きな集団だった。戦争犠牲者援護政策の展開を追っていくと，「戦争犠牲者」の概念が拡大されて「ファシズムの犠牲者」，さらには「元ナチ」の一部もそこに取りこまれていったことが分かる。「戦争犠牲者」に包摂されることで国家による福祉の対象になるという意味で，援護は福祉政策を通じた国民間の富の再分配であり，「犠牲者国民」としてのオーストリア国民が実体として構築されていくプロセスそのものだった。

3 第Ⅱ部「犠牲者ナショナリズムの陥穽」

「戦争犠牲者」が拡大していくプロセスのなかで最も問題となるのは，「戦争犠牲者」と変わらない規模で存在していた「元ナチ」の再統合である。「加害者性」の強いこの集団が「犠牲者国民」に包摂されるにあたっては，「加害者性」が「犠牲者性」に転換するプロセスが必要とされた。本書では，このプロセスが恩赦と忘却という二重の「アムネスティ」（p.126）を通じて進展する過程が描き出される。

アムネスティ政策は，元ナチを「大物ナチ」と「小物ナチ」に区別したうえで，前者を厳しく追及すること，後者の早期「再統合」を目指すこと，という二本柱から構成された。このうち，第5章で扱われるのは小物ナチの再統合である。小物ナチを自党の支持基盤として取り込みたい三大政党の思惑が交錯するなかで，元ナチの「無罪性」が訴えられ，「無罪」の範囲も大学生から青年，さらには「微罪ナチ」（「贖罪義務のある元ナチ」とされた者のうち，「重罪ナチ」よりも軽微な者）全体へと拡大していった。このプロセスは，元ナチも「犠牲者」であったという言説，および「加害者性」を想起させる彼らの過去を「和解」や「赦し」の名の下に積極的に忘却しようとする言説と措置をともなった。

アムネスティ政策のもう一本の柱である戦争犯罪者の追及と処罰については，西側連合国による戦犯追及が第6章で扱われた後，オーストリア自身の手による戦犯追及としてソ連占領地区のオーストリア人民裁判が第7章で取り上げられる。大物ナチ，戦犯，「国家反逆者」は罪なき「犠牲者国民」から排除されていくが，共産党の政治的影響力の低下にともなって，とくに1949年以降，戦犯訴追は縮小・形骸化が進んだ。同時に見過ごせないのは，人民党と社会党右派が西欧に接近するなかで，反共主義が顕著になり，戦犯や国家反逆者の訴追を維持しようとする共産党に対して「国家反逆者」のレッテルが貼られていったことである。元ナチの受け皿として「独立者連合」（後のオーストリア自由党）が1949年に結成をみたこともまた，冷戦に規定された国内での政治勢力図の変化から説明できる。この結果，オーストリア国民の境界は，左派勢力の排除と，ナチおよびオーストリア・ファシズム勢力を含む広く右派勢力の包摂という形で確定され，西側陣営への統合を前提とした反共主義的な体制としての「犠牲者国民」国家オーストリアの基盤が固まったと指摘される。

4 第Ⅲ部「犠牲者国民の記憶空間」

「犠牲者国民」たるオーストリアの「犠牲者性」が，想起の文化のなかでいかに表出したかが論じられるのが第Ⅲ部である。第8章で扱われる基幹収容所マウトハウゼンには，ナチ体制下で多くの他国出身者を含む約20万人が収容され，そのうち約7万人が死亡した。反ファシズム，抵抗運動，犠牲者という3つの要素をあわせもつマウトハウゼン強制収容所跡地の記念施設は，反ファシズムの抵抗運動を展開した「能動的犠牲者」という1940年代後半に支配的だった犠牲者像と合致していた。しかし，政治勢力図の変化とともに，記念施設化を支えた超党派の「政治的被迫害者同盟」は解体し，この記念施設はオーストリア国民の統合の装置ではなく，国外に暮らす生存者や遺族が集う「記憶の場」としてのみ機能することになった。

「能動的犠牲者」の犠牲者性をオーストリア国民の多くが共有することができないなか，それに代わって犠牲者ナショナリズムの基盤となったのは，「戦争犠牲者」の犠牲者性だった。この点について論じるために，第9章では，オーストリア黒十字協会という軍人・戦没者墓地の維持管理を行う民間の協会団体が取り上げられる。第一次世界大戦後に結成された黒十字協会は，第二次世界大戦後，戦没者を「英雄」として顕彰するという戦間期の姿勢から転じ，自分には責任のない戦争で犠牲になった戦没者を追悼するという立場をとるようになった。第一次世界大戦と第二次世界大戦の戦没者の位置づけにはその点で相容れないものがあったが，戦争の犠牲を後世に伝え，和解と相互理解の精神に基づき平和な未来を作るという「未来志向」の発想のなかで，両者の矛盾は意識されなくなっていった。

「戦争犠牲者」の犠牲者性が国民に共有されていく過程は，第10章では，戦没者記念碑を通じて議論される。戦間期のオーストリアで多数建設された戦没者記念碑は，戦

没者を追悼すると同時に，英雄を顕彰するものであり，郷土愛と愛国心をつなぐ結節点としての機能を果たした。第二次世界大戦後に，これらの戦没者記念碑に第二次世界大戦の戦没者を追悼する機能が付加されると，個々の戦争の歴史的文脈は捨象され，両大戦の戦没者はともに「祖国のため」の死者，「われわれの犠牲者」として「犠牲者ナショナリズム」のダイナミズムに取り込まれていった。

最後の補論ではブルゲンラント・ロマが取り上げられる。ナチ・ドイツによる迫害の対象でありながら，戦後長らく，補償からも想起からも排除され続けたブルゲンラント・ロマに光を当てるなかで，1990年代に彼らが少数者として認知されていく動きが，旧ユーゴやトルコからの移民・難民など，新たな他者を作り出し，排斥する動きと並行していたことが指摘される。本論の記述では1950年代半ばまでの動向が中心的に論じられるなか，オーストリアで今日まで続く国民の境界の生成と改変のプロセスを視野に収めることを可能にした重要な補論と言えよう。

5　オーストリアの国民形成とナチズムの過去

「誰が国境を作り，誰が国民の境界を決めたのか」（p.346）という問題意識から，国民意識の形成をめぐるオーストリアの苦闘と葛藤というテーマにたどり着いた，と「おわりに」で述べられているように，本書の議論の中核はオーストリアの国民形成にある。その過程において，「オーストリア国民」をどう構築するかという19世紀以来の大きな問いへの答えは，ナチ犯罪への加担の過去を，「ドイツ」という存在そのものとあわせて外部化することによって求められていった。本書では，犠牲者に対する扶助と援護，加害者に対する訴追，記憶と想起という三領域に分けてオーストリアの状況が描き出されていくが，三領域のすべてに共通しているのは，加害者性の外部化，犠牲者性の引き受け，そして反共意識の強化とともに生じる反ナチ抵抗から戦争被害への記憶の重点の移動である。

取り上げられる三領域のすべてにおいてこの図式が妥当することが確認されていくという構成は，やや予定調和的で躍動感に欠けるきらいはあるが，一貫した議論によってオーストリアの特徴が綺麗に描き出されている。ナチ体制崩壊後のドイツがナチズムの過去といかに向き合ったかという関心から，ドイツ（とくに西ドイツ）の「過去の克服」を論じる文献は邦語でも多いが，オーストリアに関する情報の少なさを考えたときに，本書は貴重な情報を手堅く提供するものとなっている。とくに，ナショナル・アイデンティティや歴史認識のあり方を検討するにあたり，あくまで具体的な実社会の法制度や記念碑・記念館などの施設整備との関連において論じようとする著者の手法には共感した。

米・英・仏・ソによる四カ国占領統治を受けながらも，ドイツとは違って一体性が保たれたことにより，人民党，社会党に加えて，共産党が大きな発言権をもちえたことがオーストリアの特徴である。そのなかで構築された，「自国の解放に貢献」する英雄としての「能動的犠牲者」像は，東ドイツと共通するものがある。逆に，共産党の影響力喪失とともに生じてくる諸現象から彷彿とさせられるのは，社会の安定を重視し，元ナチの復帰を進めた西ドイツのアデナウアー期の「過去政策」である。しかし共産主義者による抵抗が想起されることが極めて少なかった西ドイツの状況と比べると，マウトハウゼン強制収容所跡記念施設が残り，社会主義国も含めた国際的な広がりのなかで記憶の場として存続したことからは，永世中立国として東西のはざまに位置したオーストリアの独自性がうかがえて興味深い。

国民形成という視点に特化したことで国内に視線が向いた結果，本書で論じられなかったのは，オーストリアを取り巻く国際関係，特に連合国との関係であろう。第二次世界大戦後のオーストリアの対応を規定したものとして，本書では，米・英・ソ三連合国外相会談を受けて出された「モスクワ宣言」（1943）が紹介される。これは，オーストリアをナチ・ドイツによる侵略政策の最初の犠牲国として位置づけると同時に，ドイツの側に立って参戦した責任は免れえないものであり，オーストリアが「どれほど自国の解放に貢献したか」が問われることになると宣言した大戦中の文書である。本書では，矛盾する内容を含むこの宣言のうち，後者が意識から外れ，前者へと傾斜していく様相が描かれるが，モスクワ宣言の後半からの明確な離反は，オーストリアの主権回復に向けたプロセスのなかでどのように問題化されたのだろうか。国家条約の締結とそこにおける「戦争責任」条項の削除をめぐる連合国との交渉過程や，犠牲者ヒエラルキーの低位に位置づけられたユダヤ人被害者をめぐるユダヤ世界との関わりなどに焦点をあてた議論があると，オーストリアを犠牲者国家として成立させた国際環境がより明確に見えてくることになったのではないだろうか。

「犠牲者国民」という意識形成，戦争をめぐる記憶と想起における加害性と犠牲性の相克は，日本の戦後を考えるうえでもよそごとではない。ナチ犯罪への加担の過去に，西ドイツは少数のナチ幹部，オーストリアは「ドイツ」という形象を与えることによってそれを外部化した。東ドイツは自国を反ナチの闘争の系譜に位置づけることでやはりナチの過去を外部化することに成功した。少なくとも戦後初期には，積極的に加害性を引き受ける選択をした国は存在しなかったが，ナチズムの過去と距離をとる姿勢は共通している。オーストリアにおいて，距離をとれなかったものがあるとすれば，それは外部化することのできなかった

オーストリア・ファシズムの過去である。大戦期が「犠牲者」神話の影で想起されること，自国の政治体制に内在した問題点を外部化しえなかったこと，そこから生じる（自分たち以外の）犠牲者への無関心，そして今日にいたるまで歴史的経験に支えられた内発的な人権意識の涵養に成功していないこと。こうした点を見るとき，オーストリアの経験が日本の今に大きく重なってくるように思えてならない。

書評

『カントにおける倫理と政治——思考様式・市民社会・共和制』
［斎藤拓也 著］
（晃洋書房，2019年）

小谷英生

1 はじめに

　カント倫理学は純粋義務論であり，経験に依存しない定言命法の体系であると考えられている。その理論を深化・拡張するために，20世紀後半以降の研究は主として三つの方向で進んできた。①カントの義務論や自由論をより精確に理解するためのテキスト解釈，②現代的実践への応用可能性を模索する哲学的試み，最後に③『人倫の形而上学 法論』や『永遠平和のために』といったテキストを中心に，法論・政治哲学・社会思想史の観点からカント実践哲学を再構成しようという研究である。著名な研究を挙げれば，①についてはH・E・アリソンやD・シェーネッカー，Ch・ホルンら，②についてはCh・コースガードやO・オニールら，③についてはO・ヘッフェやW・ケースティングらの主要研究がそれぞれ該当するだろう。とりわけ③についてはH・アーレントやJ・ロールズの影響も大きく，国内外で最も盛んに研究が進んだ研究分野である。日本でも網谷壮介，石田京子，金慧といった若手・中堅研究者の活躍が注目を集めており，本書の筆者である斎藤拓也氏も常に名前の挙がる研究者の一人である。本書が今後のカント研究の邦文基礎文献の一つとなっていくことは，間違いないように思われる。

　本書は，博士論文をベースとした専門的なカント研究書である。したがって入門書のような平易さはなく，論証はテキストからの引用で隙間なく固められている。そのため，カントに馴染みの薄い読者にとって，いささか手ごわい学術書であろうことが予想される。

　そこで以下，評者の専門であるカント研究の観点から本書の意義について簡単に述べ，なるべく多くの読者にとって手引きとなるよう内容を解説していきたい。

2 本書の意義

　古典作家は多様な関心と広い理論的射程を持っており，同時代に存在した多種多様な問題に首を突っ込んでいるものだ。I・カントという思想家もまたその一人であり，いわゆる三批判書によって真善美の認識根拠を基礎づけただけでなく，1780年代以降のドイツ啓蒙を支えた雑誌『ベルリン月報』を主戦場として，時事論評を数多く発表している。例えば「人種の概念規定」（1785）では，〈黒人は人間に最も近い猿である〉とするG・フォルスターの主張に反対し，全ての有色人種は人間であり，肌の色の違いは生活地域に由来すると論じた。「思考の方位」（1786）ではM・メンデルスゾーンとF・ヤコービの間で勃発した汎神論論争（スピノザ論争）に介入し，ヤコービ流のスピノザ主義を哲学的狂信と非難しつつ，独自の理性信仰の議論を立てた。その他，『永遠平和のために』『理論と実践』などでみせた国際平和構想や，『諸学部の争い』で語られた大学論・フランス革命論も，時節に合わせたものであった。1780年代以降のカントの業績は，形而上学に留まらず，人間学，宗教論，教育学そして地理学にまで及んでいる。

　とはいえ，やはり古典作家の常として，そうした諸議論の関連性・一貫性については不明瞭な部分が多い。本書はそのような不明瞭さにメスを入れ，1780年代・90年代のカントの純粋倫理学（狭義の実践哲学）・政治哲学・宗教論を統一的に論じようという意欲作である。本書の創意は，こうした試みを通じてカント市民社会論の理念的構造を再構成しようとした点にある。

　評者のみたところ，カントはいかにして理性のみによって善い社会を構想できるのかを追究し，純粋実践理性の論理展開から社会思想を書き換えていこうとした思想家である。それゆえ理性の立場，とりわけ『人倫の形而上学の基礎づけ』（以下『基礎づけ』）や『実践理性批判』で叙述された純粋倫理学的な立場から出発しなければ，彼の政治哲学も宗教哲学も正確に理解できないように思われる。したがって本書がこの点を尊重し，「倫理と政治」という二つの局面から理想的な市民社会を再構成しようと試みたのは，まさにカント自身の意に即しているように思われる。

しかも，このような再構成については管見の限り標準的な研究書は見当たらない。本書と類似の研究では，今名前を挙げた『基礎づけ』『実践理性批判』，さらには『たんなる理性の限界内における宗教』（以下『宗教論』）などが中心的に分析されることは，実はそれほど多くはないのである。この点で筆者は優れた視野を有しているものと，評者は判断する。

　このように広範に渡る議論を架橋し，宗教論や政治哲学を含むカント実践哲学の全体構造を明確化した点に，本書の研究史上の意義がある。それによって本書はリベラルな政治体制とその実現への道程，そこで求められる政治家と人民，とりわけ学者の使命に関する一つの理想理論を提示している。なるほど，本書の主眼はテキストを通じた論証にあり，カントの倫理的政治の構想が諸多の理論に比べてどのような利点を有するのかという点については不問に付している。しかしながら然るべき社会制度の実現と，その責を負う政治家市民の道徳性を共に厳しく要求するカントの態度は，現代の政治社会状況に照らし合わせても示唆に富んでいる。実際，カントの議論は，現代民主主義におけるリーダーシップ論や学者共同体の使命を考える上で欠くことのできない思想的遺産である。この遺産を再構成し，保存・継承することに向けられた著者の禁欲的な研究態度は，カントの現代的意義に対する信頼の証とも言えるだろう。

3　本書の内容

　それでは本書の内容に入っていきたい。まず序論では，本書の目的と先行研究について言及がなされている。すでに述べたように，本書の目的はカントの著作を「『市民社会（bürgerliche Gesellschaft）』の概念を中心にして読み解き，その構想を，理念とそれを尊重する思考様式，そして制度の改革を軸にして再構成する」（3頁）ことにある。18世紀における「市民社会」は政治的共同体すなわち国家を意味するが，カントの市民社会論はたんなる政治哲学に止まらない射程を有している。というのもカントは政治的（法律的）市民社会のみならず，倫理的市民社会を構想しているからである。両者の区別自体はよく知られたものであるが，まずは市民社会の対極にある自然状態に着目してその性格付けを行おうとした点に，本書の慧眼がある。自然状態とは一般に無政府状態を意味するが，「カントによれば，『自然状態』は，人間たちの集合的な社会生活において生じる倫理的に傷ついた状態である」（4頁）。とりわけ各人が自己愛を行動原理とするとき，そこには倫理的自然状態が存在しているのだと筆者は述べる（同）。

　カントによれば倫理と法律の差異は次の点にある。法律の遵守は内面的な動機を問わず，ただ外面に現れる行為の

みに関わる。例えば，犯罪行為を差し控える理由は捕まりたくないから（すなわち自己愛）であっても構わない。法律に違反しているか否かは原則として行為者の内面によって判断されるわけではないからである（情状酌量は量刑に関わるものであって，違法か適法かの判断には関わらない）。これに対し，倫理においては動機も重要視される。たとえ倫理の命ずるところに外面的行為が適っていたとしても，それが自己愛のために行われたのであれば倫理的行為とは認められないとカントは考えるのである。したがって，一般に法律に従う方が，倫理に従うよりもずっと容易なのである。

　このことは同時に，政治的市民社会の創出の方が，倫理的市民社会のそれよりもハードルが低いことを意味している。実際，悪魔でも共和国設立は可能であるとする『永遠平和のために』の議論は，そのような文脈で理解されてきた。ところが筆者は，政治的（法律的）市民社会においても行為者の内面は重要だと主張する。そしてカントに依拠しつつ，倫理的自然状態が政治的自然状態の遠因となりうる点を指摘している。というのも，「各人が他者に対する自己の優位を確保しようとする『倫理的自然状態』からは，他者の財産を暴力と戦闘によって脅かそうとする試みが横行する法律状態としての『法律的自然状態』が容易に現出する」からである（同）。そして「このとき，暴力と戦闘を禁止し，財産所有をはじめとした『自由』を保障する『法律』を実効的なものとする『権力』があれば，少なくとも目に見える行為の次元での『法律的自然状態』は解消される」（5頁）。このような「権力」行使はいわば対処療法的な措置であり，社会的不和の根本治療のためには「倫理的自然状態」の克服が必要である。よって倫理的自然状態の克服こそが，政治的（法律的）自然状態の最終的克服のための条件となるわけである。

　さて本書は三部構成であり，第一部ではカントの自然社会概念が，彼の倫理学的な論理構成の詳細な検討を通じて浮き彫りにされる。まず第一章・第二章では，カントの純粋倫理学について手際よく論じられる。カントによれば，あらゆる現象は原因を持つが，この原因は感性的（sinnlich）か叡智的（intelligibel）かである。このうち叡智的原因をカントは「思考様式」と名付ける（27頁）。この「思考様式」の働きは実践的法則を与えることにあり，理性的存在者はこの法則に自ら従うことによって，自由で自律した存在となるのである。次に第三章では社会思想史的な観点から，カントがルソー，ホッブズの双方から自然状態／市民社会概念を受容し，両者の対立を相克しつつ新たな問題へと進んでいったことが論じられる。新たな問題とは，「カントにとって道徳的悪は個々の主体の問題であるだけではなく，人間達が織り成す関係性の観点から把握すべき社会的次元の問題でもある」（102頁）といったものである。

この問題提起を受けて，第二部では市民社会論および啓蒙論が展開される。第四章では，自然状態からの脱出を個々人の努力のみならず社会変革に求めるカントの基本姿勢がより詳細に論じられる。カントによれば，倫理的市民社会は「不可視的教会」という理念によってもたらされるが，そこへと近づくためには現存する教会改革が必須である。そしてまさにこの点で，倫理的市民社会とそれを支える「真の可視的教会」は，その実現のための条件として啓蒙と政治を必要とするのである。少し長くなるが引用しよう。

　　ここで重要なのは，成立した市民社会が市民社会として存続するための条件，すなわち「言論の自由」である。教会改革が「真の啓蒙」と理に適った批判によって促進されねばならず，そのためには「言論の自由」が保障されねばならない。（・・・）言論の自由は，『理論と実践』で初めて「権利」として法的体系の中に位置づけられる。教会改革の構想は，まさにこの点で，不可避に「政治的公共体」に関係することになる。（141頁）

第五章では啓蒙の理念そのものが「思考様式」との関係で論じられ，第六章では統治において「言論の自由」が果たす役割と，言論弾圧のリスクがある中でカントがどのように理性的思考を紡いでいったのか，その戦略が明らかにされる。

第三部は，カントの共和制論に当てられている。第七章ではボダン，ホッブズ，スピノザ，ルソー，ロック，モンテスキューといった思想家を参照しながら，カントの人民主権論および統治形態論の特徴が示される。第八章では「道徳的政治家」という理念について解説が加えられる。第九章では「祖国的な思考様式」として市民社会体制の諸原理と共和制への改革の道程が示される。ここではカントの市民概念に加え，根源的契約の理念の重要性が強調されている。第三部の総括については「結論」で適切に整理されているため，引用をもって要約に代えさせて頂きたい。

　　たしかに，『政治的共同体』を『倫理的共同体』から区別することで，カントは徳の概念を政治思想から排除しているようにも見える。しかし，共和制設立の目的として「公共の福祉」が挙げられていることをふまえると，カントの場合にも共和制を支える政治的な徳に相当する特質を考察する余地があると思われる。本書では，それに対応する概念として，祖国的な思考様式を論じた。カントにとって，この思考様式は，君主のために身を捧げることを求めるものでもなければ，共和制のために死ぬことを求めるものでもない。

それは根源的契約の理念にもとづいて，共同の意志によって立法することを，自らが属する政治体制の最高の原理として確信していることである。このような国家市民（と政治家）の思考様式は，立法と統治への批判的な問いかけを生み出すことによって，市民的な体制としての共和制を維持するだけでなく，その諸制度を絶えず改良する支えとなる。（327頁）

以上のように本書はカント市民社会論の構造を，実践哲学全体の中で浮き彫りにする。そこから示唆されることは，カントの実践哲学は抽象理論に留まるものではなく，私たちが現実との緊張関係へと積極的にコミットメントするための重要な理論的支柱をなしうるということである。

4　おわりに

最後に，二点だけ指摘をしておきたい。それは本書の副題にある「思考様式」についてである。たしかに「思考様式」というこの言葉はカントの諸テキストにおいて重要な役割を果たしている。しかしながら，議論の文脈に応じて意味や用法にブレがあるようにも見受けられた。この点について，もう少し説明が必要だったように感じた。

また，「思考様式」が端的に理性的思考を意味するのであれば，敢えて鍵概念として際立たせる必要はなかったようにも思われる。本書で示されたカント独自の理性的思考については，より適切な言葉があったのではないか。それは「知恵（Weisheit）」である。筆者によれば，カントの「知恵」とは最高善（道徳性の実現と，それに比例した幸福の実現）を目指す態度，「徳を最高の原理として行為し，均衡のとれた諸欲求の実現を望んで思慮深く振舞うことのできる境地」（68頁）である。要するに「知恵」はただ道徳的善悪を教えるのみならず，道徳と調和する限りでの幸福追求を目指す「思慮（Klugheit）」と結びついているのである。そして「『知恵の教え』という意味での『哲学〔愛知〕』は，（・・・）国家統治の次元でも知恵と思慮の関係にあるべき秩序を取り戻そうと試みることになる。カントの政治思想において『知恵』は人間の生の全般に関わる」（69頁）とされ，さらにまた「『知恵』は，カントにおいて神との関係から規定される理念」（108頁）であるとされるのだから，「知恵」はカントにおける倫理と政治を繋ぐ蝶番の役割を果たしていたように思われる。

誤解のないように付言するが，評者は「思考様式」を——市民社会や共和制と並ぶ——鍵概念とすることに反対しているわけではない。あくまでも，そうすることのテキスト戦略上の意味が見えにくい点を指摘しているに過ぎない。また，哲学思想がたんなる抽象理論や知的パズルに留まってはならず，世俗を生きる私たちの実際的な知恵，良

識の基礎となるべきであるならば，倫理的市民社会と政治的市民社会を理性の立場から結びつけるカントの「知恵」概念を強調することは，本書の現代的意義をさらに高めることになると評者は考える。

　奇しくも本書評を執筆中に，日本学術会議の一部会員任命拒否という，学問研究に対する政治権力の介入を強く疑わせる事件が生じた。今は事の行く末を見守るしかないが，学問と国家権力との間に生じうる軋轢の中で学者がどのように振舞うべきかについて，本書は有益な示唆を与えてくれるだろう。

書評

『現代ドイツの倫理・道徳教育に見る多様性と連携——中等教育の宗教科と倫理・哲学科との関係史』
［濱谷佳奈 著］
（風間書房，2020 年）

佐野敦子

1 はじめに

　ドイツの教育の特徴を問われると，州が教育の権限を有する「文化高権（Kulturhoheit）」をまっさきにあげる方も多いだろう。そしてその意味を知れば，ドイツの教育をテーマにした研究は生易しいものでないと認識されるはずである。ドイツ 16 州のそれぞれで独自に展開する教育政策を追いながら，「各州文部大臣会議（KMK：Kultusministerkonferenz）」の動向にも目配りしつつ，基本法との関連で全体像を捉える，もしくは捉えられないことを確認する作業だからである。さらに実際の教育現場に赴くと，教師や学校の方針が優先され，州の政策に忠実に教育が実践されているケースはむしろ少ないといえるだろう。いうなれば，ドイツの教育の研究は，地域の多様性と教育実践の多様性という二重の多様性のなかで取り組むのが常である。さらにそれは，その背景にあるドイツ社会が内包する複雑な多様性と間接的に対峙することも意味している。

　そのようなドイツの教育の有様を，本書は宗教教育を中心に据えて追究している。宗教科に関しては，ドイツ連邦共和国基本法（以下，基本法）第 7 条で「正規の教科（Ordentliches Lehrfach）」とされている。基本法の縛りのなかで，各々が抱える歴史的背景も含めて実態に適した教育を各州が模索する姿が映し出されていくのがドイツの教育の特色である。いうなれば本書はそのタイトルからも明らかなように，ドイツの教育研究では切り離すことのできない多様性の問題に真正面から取り組んでいるのである。

2 本書の概要・構成

　まず 3 部 8 章で構成される本書の概要をみていきたい。
　序章につづく第 I 部では，宗教科と倫理・哲学科それぞれの法的地位とその関係について検証する。すなわち各州において，両教科の関係が，地域の事情に対応しながらも，総じて対立から並存へと推移していく様子を追ってい

る。ここで具体的にあげられている州は，バイエルン，ブランデンブルク，ベルリン及びノルトライン＝ヴェストファーレン（以下，NRW 州）であり，本書でとりあげられるカリキュラム比較，授業実践調査の主な対象地域である。ここではドイツ全 16 州における現在の両教科の位置づけを分類することで，この 4 州を分析対象に選んだ理由を明確に示している。すなわち，宗教科と倫理科のどちらを必修にしているかで，宗教科を必修として倫理系を補完とするバイエルン州と，倫理・哲学科（正式には，LER：Lebensgestaltung-Ethik-Religion 科）を必修として宗教科を補完とするブランデンブルク州の 2 州を対抗軸として置き，それに加えて宗教科は「正規の教科」という基本法の位置づけは崩さずに，宗教科に代替する選択肢として倫理・哲学科を設置し，さらにイスラーム団体による宗教科をいち早く導入した NRW 州，歴史的な経緯から基本法では例外の位置づけにあるベルリンの 2 つを調査・分析対象とした理由である。その根拠となる分析軸を，ドイツ全 16 州の状況の分類から導き出しているのである。加えて，その分析軸を明示するにあたり，戦後から現在までの連邦政府や各州の状況，宗教間対話や市民討議の経緯を広い視野で見渡し，綿密にドイツ国内の宗教科をめぐる状況を整理している。その丁寧な作業により，4 州を選んだ根拠だけでなく，各州で宗教科と倫理・哲学科の併存に向けて模索しながら整備が行われ，両教科の法的併存の在り方が確立してきた様子が浮かびあがってくる。つまり，本書で扱う 4 州は，それぞれの歴史・経緯をふまえてドイツの全 16 州を分類した結果示された典型例なのである。

　両教科の併存状況を法的枠組みで整理した第 I 部につづいて，両教科が併存だけでなく連携していく姿をカリキュラムの分析から明らかにするのが第 II 部である。すなわち，そのどちらを必修とするか等の法的な位置づけを巡って違憲訴訟が起きるほど緊張関係にある両教科が，各州ともに併存に向かって動いている事実を具体的に示すため，各州の宗教科と倫理・哲学科のカリキュラム比較を行って

いる。その分析により，教科間で宗派や宗教の違いを超えた連携，いうなれば共通する部分を模索している姿が浮かび上がってくる。

　本書でのカリキュラム比較分析は教科間に留まらず，州間にも及ぶ。経済協力開発機構（OECD）が主導するコンピテンシーモデルにもとづくカリキュラム転換により，連邦レベルに影響範囲がおよぶ教育のスタンダードが決議されたことに着目し，各州の倫理・哲学科のコンセプトの比較も試みている。つまり，教科ごとの共通目標がドイツ全土に対して示され，各州でも他州と同じ目標を達成しようとする動きのなかで，州ごとに独自性をもつ教科から，州を超えて学習内容等に共通性が見いだせる教科への変容が認められると言及する。

　第Ⅲ部では，宗教科と倫理・哲学科の授業実践の調査にもとづき，第Ⅱ部で論じたカリキュラム上にみられる両教科の連携が，学校現場での教育内容や生徒の意識に実際にいかに反映しているか論究している。まず教科書の比較，つまり両教科に共通する「宗教間学習（interreligiöses Lernen）」の項目を比較し，共通点を析出する。つづいて，生徒の意識調査と事例研究・インタビューにもとづき，生徒への影響を分析し，教育実践で宗教科と倫理・哲学科の連携をいかに進めるか，模索している姿を描く。加えて，すでに学校法で両教科の連携が規定されているベルリンの教員継続教育の手引きから，現在および近い将来の連携の可能性と限界を探っている。

　結章では，第Ⅰ部から第Ⅲ部の内容を振り返り，戦後ドイツの宗教科と倫理・哲学科との関係の変容について俯瞰的に考察し，今後の研究課題で結ばれている。

3　本書の特徴：宗教科からみた　東西統一から現在までのドイツの変容

　本書の最も特筆すべき点は，東西統一以降から現在までを対象に広げ，宗教科の変遷を俯瞰的な視野で捉え直したことといえよう。先行研究をベースにした戦後から統一までの経緯に加え，多様化が一層進んだ近年の教育変容も対象に広げ，より総合的な視野にたって宗教科の変遷を考察しているのである。

　また，ドイツの宗教科および倫理教育のこれまでの先行研究は統一前のものがほとんどであった。だが，周知のようにベルリンの壁が崩壊してからドイツは大きく変容している。旧社会主義と資本主義の地域がひとつになるためのさまざまな模索，移民受入国への方向転換，そしてEUを牽引する存在へと変化し続けるドイツは，統一直後に見られた混乱ははるか昔ではないかと目を疑う変貌ぶりである。そしてその変化は，対立していた2つの国家がひとつになるための様々な葛藤，さまざまな文化的・宗教的背景

をもつ移民・難民との共存，そしてその過程の内部で進行する価値観の多様化でもある。本書はこのようなドイツ社会の変化と多様化が拡大した時期にまで分析対象を広げて，過去のつながりから宗教科の変容を見つめなおしている。

　そのような変化の下での教育の変容を追うことは，多様化する住民が共有できる「規範」が教育をとおしていかに提供されうるかを模索してきた様子も白日にさらすことにもなる。本書の立ち位置からすれば，ドイツという国が再形成されていくなかで，国の価値観の源泉ともいえるキリスト教が，市民が共有できる「規範」にいかに組み込まれていったかを，教育研究の分野で明らかにしているとも言えるであろう。具体的には，宗教の位置づけが微妙であった旧東ドイツ地域との共存と多宗教・多文化化を伴う移民受入国への変容に向き合うドイツで，西ドイツ時代に策定された基本法にもとづいて「正規の教科」として提供される宗教科は，宗教間学習や宗教間対話や倫理・哲学科という世俗的価値教育とキリスト教を軸にした連携を探り，その結果としてキリスト教の価値観がドイツ全体で共有されていく役割を担っていることになる。

　そしてその宗教科の動きを明らかにすることは同時に，ドイツという国で人々に共有されてきた価値観は，統一以降の社会変化のなかでも結局はキリスト教の価値観に紐づいたものであるという現実もつきつけることになる。ドイツの宿命ともいうべきこの事実は，連邦行政裁判所の1998年の判決と無関係ではない。すなわちその判断にもとづけば，倫理・哲学科のような世俗的価値教育は「キリスト教の文化的，教育的価値を適切に尊重することを排除しない」特性をもつからである。

4　本書の意義：　ドイツの変容とキリスト教の尊重

　それではなぜ倫理・哲学科はキリスト教の価値の尊重を排除しないのか。その問いは基本法で宗教教育が「正規の教科」とされている理由とともに，本研究が戦後西ドイツからのつながりで宗教科の変容を追ったことの意義にもなる。本書の結章にある以下の記述が，その意義を端的に示している。

　（両教育の連携の関係は――評者）第二次世界大戦後のドイツが，「神と人間に対する責任」のもとでの人間形成を目的として出発し，社会を担う市民育成のための方策とはどのようにあるべきかを見定めながら，キリスト教という文化的，社会的土壌を基盤とし，痛みを伴いながらも新たな次元を時代とともに切り拓いてきた歩みの一つの到達点であると捉えることができる

（251頁）。

この認識は，統一前からの宗教科の変容もふくめて振り返ってはじめて得られるはずである。要は，近年の文化・宗教の多様化だけでなく，戦後のナチズムへの反省との関わりで変容を迫られた宗教科の過去の変遷も視野にいれて分析を行った結果，いかなる社会変容に対峙してもキリスト教の価値観から逃れられないドイツの宿命を見出している。つまり，すでに西ドイツ時代にみられた宗教科の変化の萌芽の延長線上に，近年の宗教科の多様化への対応を位置づけているのである。具体的には，大戦間のナチズムと教会の関わりが議論となった末の若者の教会離れ，それが原因とされた宗教科の履修者の低迷，倫理・哲学科の導入をめぐっての市民運動や世論など，宗教科の変容は多方面からの影響を受けている。その経緯をふまえると，宗教科は戦後から一貫して基底となる価値を，基本法との整合性を常に問いつつ，各州で模索し続けてきたことになる。そして，その変容のひとつとして主に両ドイツの統一以降に，倫理・哲学科との関係性のなかで，キリスト教を基盤とした連携が生まれたのである。

この宿命の発見は，結章の今後の研究課題に記された，ヨーロッパ各国での倫理・道徳教育のなかでの「ドイツの特異性」を解明する糸口にもなりそうである。

5 今後の課題：移民統合と基本法からのアプローチの可能性

さて上記のように本書のもつ最も大きな特徴は，戦後から現在までの宗教教育の変容を俯瞰的に見つめなおしたことであり，多文化・多宗教化という近年のドイツ社会の多様化のなかでも通底する価値観の形成に大きな役割を担う宗教教育の本質に迫った点であろう。その結果として，ドイツの変化を根底で支える価値観が，ナチズムへの反省を内包したキリスト教から逃れられないことが明らかにされている。

その一方で，近年のドイツを分析対象に拡大した本研究の特徴を鑑みると，少々物足りなく感じる部分もある。端的にいえば，移民統合との関連での考察と，宗教科からだけでなく倫理・哲学科からの連携・アプローチも並行して行う余地もあったのではないか，という点である。

まず前者の移民統合との関連について述べてみる。本書は宗教教育からのアプローチという立場から，1970年代の第二バチカン公会議以降の宗教間対話の促進，東西ドイツ統一による旧東側諸州への宗教科と倫理・哲学科の導

入，2000年代以降の三つの節目を重視している。この三つの節目は，偶然かもしれないがドイツの移民統合においても重要な転機である。1973年のオイルショックによるガストアルバイターの受入中止とそれに伴うドイツ国内の外国人（事実上の移民）子女の増加，東西統一を契機にした東欧からのドイツ系帰還民の流入，そして国籍法の改正と2000年からの施行である。よって，この3つの節目では，外国人・移民子女への対応という課題も，宗教教育が何らかの変容を迫られた要因ではないか，とも思えてくる。本書ではイスラームの宗教科導入の経緯等で移民流入の社会背景には触れられており，まったく考慮されていないのではない。しかし，さらに深くこの節目での宗教教育と外国人・移民をめぐる議論との関連性が見いだせれば，当時のドイツ社会の激動がいかに大きいものであったかが，多角的な視点からより立体的に浮かび上がってくるのでなかろうか。

次に，後者の倫理・哲学科からの連携・アプローチについては，基本法との関連で読み解いていくことも可能であろう。コアカリキュラム（日本の学習指導要領に相当）には，実践哲学科の原則が「州憲法とドイツの基本法，さらに人権として根付いている価値構造を基準とする」旨が説明されている[1]。倫理・哲学科の側から宗教科との連携を問い，その分析手段として両教科のカリキュラムや授業実践のなかで，基本法がどのように扱われているかについても言及があると，さらによかったのではなかろうか。

加えて，基本法を軸にしたアプローチも並行して行うことにより，本書の結章で今後の研究課題とされているドイツにおける「市民性の育成」へつなげられないだろうか。周知のようにドイツの基本法にはナチズムへの反省が刻み込まれている。宗教科の内容にいかに基本法の人権の価値がもりこまれ，さらにそれがもしナチズムへの反省との関わりで扱われているならば，どちらの教科を学んでも育まれるであろうドイツの市民性とは，そうした過去の克服がその前提にある，ということになる。さらに各州は，基本法との整合性をとりつつ，独自の教育方針を模索しているのである。宗教科と倫理・哲学科の展開をみる限りその様相は，ナチズムへの反省を常に念頭におきながら，多様性を維持しつつ，かつ根底に流れるドイツの基本的価値を模索している姿にもみえてくる。

つまり，基本法を軸にした分析も行うことで，ドイツの「市民性の育成」とは，キリスト教と基本法，そしてその両者の共通項となるナチズムへの反省があり，さらにこの3要素はドイツにおける今後の倫理・道徳教育の展開においても重要であると明示できるかもしれない。そして，も

（1）ローラント・ヴォルフガング・ヘンケ（濱谷佳奈監訳）『ドイツの道徳教科書：5，6年実践哲学科の価値教育』（明石書店，2019年），208頁

しこのことが論証できれば，我が国の道徳教育の展開においても重要な示唆になるであろう。著者は本書の末尾で，本研究の意義を「多様性の尊重が様々な意味で問い直されている今日にあって，すべての子どもに開かれた倫理・道徳教育とはどのように成立しうるのか。（・・・）そのひとつのモデルを提示している」（259頁）と総括している。こうした基本法を軸にした分析が加われば，我が国がドイツの倫理・道徳教育をひとつのモデルにする場合に，70年余り直視してこなかった過去の克服という課題に向き合うことが必須条件であるという事実をつきつけることにもなるだろう。それは，いま進められている道徳教育の在り方を考える上で貴重な方向性を与えてくれるはずである。

⑥ おわりに
ドイツの教育を研究する醍醐味とは

　教育はさまざまな影響を受けている。市民社会の縮尺図といってもよいかもしれない。

　特にドイツは，ヨーロッパの中央部に位置することもあり，政治・宗教・国際情勢等から多くの影響を受け，教育施策が変化している。さらに州や現場によって差異がある多様性ゆえに，ドイツの教育はドイツという存在同様に一括りでは捉えられず，その全貌を明らかにすることは容易ではない。だが，多様な見方や分析が可能であるがゆえに，多様性に富んだドイツそのものの姿を，立体的に浮き出させてくれるときがある。

　ドイツの教育を研究するということは，ドイツ社会に幅広く目を配るとともに，ドイツという国の多様な面を顕わにすることでもある。だがときに，その多様性をも凌駕する，負の歴史を乗り越えたアイデンティティの力強さにはっとする瞬間がある。本書をとおして，われわれはこうしたドイツの教育研究の醍醐味を実感し，少なからぬ刺激を与えられるであろう。

『現代ドイツの住宅政策
——都市再生戦略と公的介入の再編』
［大場茂明 著］

（明石書店，2019 年）

永山のどか

先進工業国の住宅政策については，第二次大戦後数十年間の広範な国民層を対象とした積極的な公的介入から，1980 年代以降は新自由主義的潮流下で施策が残余化し持家重視へと重点が移った点が一般に指摘されている。本書は，現代ドイツの住宅政策について，このような先進工業国との共通性だけでなく独自性にも着目しながら，ドイツ統合（1990 年）以降における住宅政策の軌跡を「新たな状況に直面した公的介入の再編と挑戦の過程」（30 頁）ととらえ，その挑戦がもたらす可能性を展望することを課題にしている。本書は，序章，第 1 部「デュアリスト・モデルへの再編（1990 年代〜 2000 年代）」（第 1 章〜第 6 章），第 2 部「公的介入の新たな挑戦（2010 年代）」，「おわりに」からなっている。各章の概要は以下の通りである。

序章では戦後ドイツの住宅政策の展開を概観し，先行研究と本書の構成，分析視角について説明している。著者は論点として，第一に，ドイツの住宅政策の特徴として考えられてきた「ソーシャル・ミックス」の理念と実態の変容，第二に，ドイツの住宅政策の独自の側面，具体的には，国家や自治体により支援された公益的住宅供給主体と民間市場との競合・補完関係ならびに分権国家ドイツにおける国家・州・自治体・公益的住宅主体などの役割分担のあり方，第三に，住宅政策の空間的展開を挙げている。

第 1 章「住宅政策の残余化と効率化——市場の変化と施策の再編」では，1990 年代における住宅政策の転換をその背景とともに明らかにしている。1990 年代以降，政策の重点は，従来の新規住宅建設から住宅困窮層に重きを置いた助成，既存市街地における住宅ストックの改善と地区更新へとシフトした。政策実施において環境への配慮がみられるようになっただけでなく，「社会都市」プログラムのように経済，社会，教育，環境などの政策領域との連携による統合的都市再生施策が取り組まれるようになった。このような転換の背景として，ひとり親世帯，多子世帯，長期失業者，外国人を中心とする「新たな貧困層」の住宅困窮が深刻化し，また，住宅需要が多様化したことが挙げ

られている。

第 2 章「旧東ドイツ地域の住宅政策」では，東独時代の都市居住・住宅政策の動向を整理するとともに，ドイツ統合後の旧東独地域の「西ドイツ化」のプロセスを観察することで，当該地域の住宅政策の成果と問題点を明らかにしている。東独時代には住宅政策の重点が主要都市縁辺部や生産施設周辺での高層住宅建設と低家賃制度に置かれていたため，ストックの改修や公共インフラの近代化は十分になされていなかった。統合後，西ドイツの旧公益住宅企業による旧人民所有住宅の管理や設備近代化，低利資金融資，近代化のための時限的な税制措置，民間への住宅払い下げの際の購入者への便宜供与などが進められ，旧西ドイツ型住宅市場への円滑な移行が目指された。これにより，統合から 10 年後には住宅供給の質・量の両面で飛躍的な改善が見られたが，住宅タイプによって空き家率の差異が大きく，住宅市場のセグメント化が進行し，空き家率の高い地域では地区荒廃の問題が生じた。著者が個別事例として調査したテューリンゲン州では，ストック近代化助成が優先されており，その点では同州の政策はドイツ全体の住宅政策の全般的傾向に沿っているが，旧西ドイツ地域とは異なり，社会住宅におけるソーシャル・ミックスが実現している。

第 3 章「社会住宅制度の再編」では，ドイツ住宅政策の枠組みとその変容過程をまとめて説明し，第二次住宅建設法に代わる住宅政策の基本法として 2002 年に施行された「社会的居住空間助成法」による住宅助成施策がもたらした効果と問題点について考察している。公的助成金による社会住宅の大量供給から，貧困層援助を目的とした住宅手当と持家・近代化助成への政策シフトは，インナーシティでのジェントリフィケーションの加速化，都市再開発による「問題世帯」の排除，「問題世帯」の特定の団地への集中という問題を引き起こした。政策の残余化やストック改善への公的資金投入など，上述のシフトを追認する部分が同法にもみられるが，同法では，「社会都市」プログラム

などの都市再生事業との連携の中で，社会住宅居住に際して入居基準を超えた所得を得ている者にも課徴金を免除することを定めており，社会住宅制度成立当初の理念である，幅広い国民層への住宅供給とソーシャル・ミックスの両立は継承されていると著者は評価している。

第 4 章「都市縮退と市街地更新事業」では，欧米先進工業国が直面する都市の縮退現象への対策について，2000 年代初頭に開始された「都市改造」プログラムに焦点を当て，その現状を分析し今後を展望している。都市縮退傾向の激しい旧東独地域では，ストック・コントロール（除去と増価）を主たる手法として既成市街地の衰退を防止する試みがなされている。ライプツィヒでは，大規模集合住宅地において除去と利用転換・住戸統合がなされた。旧市街地では，建物のストックの構造，利用状況，経済的ポテンシャル，インフラ整備水準などを指標に各地区が 4 類型に分類され，それぞれに合った方法での再生（保全・維持・除去・未決定）が試みられており，民間イニシアティブが展開しているところに公的資金が優先的に配分されている。また，シュテンダルでは未改修アルトバウ（1949 年以前に建設された建造物）住戸売却制度により，民間資金による空き家アルトバウの円滑な改修ならびに地区全体の不動産流通価格高騰の抑制が目指されている。西部ドイツでは旧工業都市における基幹産業の衰退が都市縮退の最大の要因であったが，ゲルゼンキルヒェンでは，高層集合住宅の部分除去や，衰退しつつあった市内中心部の交流・居住の場としての再生が実現した。著者は，都市再生プログラムについて，住宅市場（需要サイド）に応じた施策である点を評価しているが，一方で，とくに市街地では利害関係者の合意形成が難しく事業が遅延する点を指摘している。また，ハードな改造のみでは隣接するコミュニティ間の成長格差の縮小は期待できないため，「社会都市」プログラムの方が，都市更新の中心施策としてふさわしいと判断している。

第 5 章「統合近隣地区開発の支援」では，1970 年代以降，先進工業国で顕在化した都心周辺地区における社会・経済的問題である「インナーシティ問題」に対する取り組みを，EU 共通の都市政策目標である「持続可能な都市の実現」という観点から分析している。1990 年代，EU の共通都市政策は「構造基金」を用いて推進され，1994 年には統合近隣地区開発支援プログラムである「URBAN」プログラムがうちだされ，都市の社会的排除問題の解決を含む，都市生活の質を改善する斬新な計画への助成体制が整った。こうした EU レベルでの動向を反映して，ドイツでも，衰退の進んだ地区の問題は社会・経済・教育・居住・環境など複数の政策領域間の連携によってのみ解決できるという認識のもと，州プログラム（1998 年以後は連邦・州共同となる）として「社会都市」プログラムが登場した。

著者は，両プログラムの実施例としてデュースブルク市マルクスロー地区を取り上げてその成果と限界を分析している。同地区では市の 100％出資企業である地区開発組織 EGDU のイニシアティブのもと，トルコ系企業誘致，同地区在住トルコ人の労働力・顧客としてのコミュニティへの包摂など，従来型の都市政策では問題集団として位置づけられていた移民層のポテンシャルの動員に成功した。その一方で，著者は社会都市プログラム自体については，分野横断性という理念に反し，手続き上の複雑さや，個々の施策の条件が厳しく，プログラム自体に柔軟性がない点を問題点として挙げている。

第 6 章「環境共生型都市居住の推進」では「持続可能な都市発展」にとって重要な理念である「既成市街地開発」（ストック指向，資源節約型の都市開発戦略）の展開を分析し，既成市街地内での開発が都市再生に及ぼすインパクトを検証している。分析対象は，1989 年～1999 年に実施され，総費用の 3 分の 2 を公的資金で賄った IBA エムシャーパーク（エムシャーパーク国際建築博覧会）の中の居住系プロジェクトである。同プロジェクトの注目すべき点は，環境共生型住宅への助成であり，ドイツにおけるその後の環境共生型都市開発のモデルとなった。また，新規住宅戸数の 75％を社会賃貸住宅とすることによるソーシャル・ミックスの実現や，19-20 世紀転換期から 1920 年代にかけて行われた社会住宅建設の成果でもある田園都市風労働者住宅地のストック更新による文化財保護と住宅市場とのあいだの調和の達成が目指されただけでなく，新しい試みとして高齢者施設の建設や女性の視点に立った住宅の供給がなされた。

第 7 章～第 10 章までは，第 2 部「公的介入の新たな挑戦（2010 年代）」となっている。第 7 章「再都市化時代におけるドイツ住宅政策の可能性」では，2010 年代に進行した再都市化が住宅政策に及ぼした影響や再都市化時代の住宅政策のあり方を，都市内部の社会的・空間的な部分市場の動向と関連付けて考察している。社会的居住空間助成法により住宅建設助成予算・建設計画の権限が連邦から州に移譲されたことは，地域ごとに特徴ある施策の策定を可能にし，地域住宅市場における需要動向に応じて施策が個別化・多様化した。

第 8 章「都市再生の新たな試み――衰退地区からトレンディ・エリアへ」では，選択的な人口移動にともない都市空間のモザイク化やジェントリフィケーションが進行しているインナーシティを事例に，衰退地区が「トレンディ・エリア」として再生する過程を分析している。衰退したインナーシティの旧労働者居住地区であったハンブルクのザンクト・パウリ地区では，2000 年代に州の公費による特別助成プログラム「更新コンセプト」により，社会住宅の創出を兼ねる形で住棟設備が改善・修繕された。著者はこ

の事業の特徴として，州の100％出資の公企業として1990年に設立されたsteg（ハンブルク都市更新・都市開発公社）の利害調整機能，再開発協議会の場での利害関係者の意思決定プロセス，地元団体・住民による自発的取り組みに対する公的助成等を挙げている。また，この事業では家賃水準の高騰が防止されているため現住民が引き続き同じ住宅に居住することが可能であり，既存コミュニティが維持され，ソーシャル・ミックスが実現されている点を著者は評価している。

第9章「グローバル時代における成長都市圏の地区更新」では，グローバル化とローカル化が経済・政治の両面で同時進行するようになった1990年代以降において成長志向の都市政策が都市の空間構造に及ぼした影響を検討し，地区更新事業の課題と可能性をハンブルクの事例から明らかにしている。経済活動の主導権をめぐる都市間競争の激化を背景にして，ハンブルク州は，2002年に同市を国際的な影響力をもった活気ある大都市へと発展させるための基盤構築プログラムを策定した。また，これと前後する形で「ハーフェンシティ」の建設やエルベ川中洲の開発などの大型プロジェクトが始動した。これにより，第8章で取りあげたザンクト・パウリ地区など都心周辺部ではジェントリフィケーションが進行した。州は不動産価値の上昇による住民の排除を防ぐために都市政策の軌道を修正し，2009年には地区更新事業を伝統的に特徴づけてきた社会統合理念に基づくプログラム「RISE」を打ち出した。その一環として，2010年にはザンクト・パウリ地区で，持家取得や住宅の事業用スペースへのコンバージョンなど特定の行為を審査・規制する「社会維持条例」が適用され，既存の社会構造を維持する可能性が模索された。社会維持条例については，関係者によって評価が異なっているが，同地区には1922年設立の自治体住宅企業SAGA（ハンブルク州公益住宅企業）/GWGが所有している住宅が多いため，同地区の社会住宅の減少率は全市のそれに比べ低くなっており，著者はアフォーダブル住宅の確保におけるSAGA/GWGの役割を評価している。

第10章「再都市化の進行に伴う地区居住施策」ではハンブルク大都市圏を対象に，再都市化に伴って格差が拡大傾向にある個々の部分市場に対する行政の取り組みを地区別に比較し，行政の取り組みが特定エリアへの需要圧力を緩和し，均衡のとれた都市形成へと誘導することが可能か否か，という点を検証している。ハンブルクでは，経済成長と税収増を目指すため，「築造」・「誘導」施策が積極的に推進される一方で，都市内部のモザイク状況を調整して特定地区への需要の過度な偏りを緩和する，選択的な規制措置が求められている。2010年代には，均整の取れた都市形成をさらに誘導するために，30〜40戸以上の新規住宅供給に際して，3分の1を社会賃貸住宅として供給する

よう義務づける「三種混合ルール」，社会維持条例，新築住宅の家賃を地元標準家賃の10％増しまでに制限する「家賃ブレーキ制度」が新設された。

「おわりに」では，ドイツの住宅政策の重要な要素として，市場と対抗するのではなく協働する社会住宅制度の伝統，各級政府による分業と協調，地域住宅市場の特性に立脚した政策策定を挙げている。

著者は現地調査，関係者へのインタビュー，行政文書，統計を通して現代の政策の成果・可能性・展望を多面的に考察しており，その内容は示唆に富み，論旨も明快である。同時に，前著『近代ドイツの市街地形成』における豊富な歴史的知見が本書でも随所に活かされており，それが本書の分析をより深いものにしている。以下では，本書の特長をそれと関連して感じた疑問点に触れつつ挙げていきたい。

第一の特長は，現代ドイツの住宅政策と19〜20世紀の住宅政策との連続面を積極的に評価している点である。これまで，現代の住宅政策については残余化や持家重視という側面に注目が集まり，従来の政策を継承した部分については十分に検証されてこなかった。本書はこれに対して，第二次大戦後，さらには，19世紀後半からの連続面を，公益的住宅組織の存在意義や「ソーシャル・ミックス」に関する条項などに見出している。ただ，その連続面が1980年代以降の新自由主義的潮流においてなぜ持ちこたえたのか，という点については本書で十分に説明されていない。公益的住宅組織への1990年の税制優遇措置の廃止やそこに出資する地方自治体の財政難，さらには新自由主義的都市政策を背景に公益的住宅組織が所有する住宅の売却が進んだことはよく指摘されているが，そのような中で，ハンブルクの公益的住宅組織SAGA/GWGが存在感を持ち続けたのは，ハンブルクという豊かな財政基盤を持つ地方自治体が出資者であるからなのか，それとも，同組織が活動内容を時流に合わせて変更・修正することに成功したのか，もしくは他の理由があったのだろうか。

第二の特長は，現代ドイツの住宅政策の多様性を，部分市場に着目しながら丁寧に分析している点である。旧東独地域から始まった「都市再生」，「社会都市」プロジェクト，IBAプロジェクト，ハンブルクの都心周辺部開発事業とRISEなど，本書で取り上げる住宅政策の多様さそれ自体も注目に値するが，それぞれの施策を部分市場と関連付けて分析していることにより，都市の個別地域が抱える問題の存在やその解決のための施策が明確な形で提示されている。また，特定の地域の特定の問題に焦点が当てられたことにより，都市計画や住宅政策においてもっぱら「事業のガバナンスならびにネットワークの組織形態」（143頁）という観点からとらえられてきた住民参加についても新しい見方が提示されている。デュースブルクのマールブルク

地区の調査において，住民参加を「フラグメント化した人々，なかでも従来の都市政策では問題集団として排除されてきた人々をどう統合するのか，すなわち彼らの地区内での共生，あるいはコミュニティへの包摂のありかた」（143頁）ととらえて分析している箇所は本書の最大の読みどころの一つといえる。ただ，施策間にはどのような関係性があるのか，また，施策により部分市場間の関係性はどのように変化するのか，といった点は本書では十分に考察されていない。ハンブルクについていうならば，高層集合住宅団地に対するハンブルク版「社会都市」プログラムでの効果と，第二部で取り上げられている都心周辺部での再開発事業での効果はハンブルク全体を考えたときにどのように関係しているのだろうか。第10章で提示されている，2010年前後のハンブルクの地区別の人口社会増減の図が興味深かっただけに，この点が気になった。

　第三の特長は「ソーシャル・ミックス」に対する一貫した着目である。終章で書かれているように，ハンブルク州政府やstegが「良い市区は健全な混合（ソーシャル・ミックス）に依拠している」（256頁）との理念のもとで諸施策を講じている点は興味深い。ソーシャル・ミックスの実現は，本書の中心的な論点の一つであるが，この理念は，諸施策を通して，民間家主や現在・将来の入居者，商店主など都心周辺部の利害関係者や当該地区以外の市民にどの程度浸透したのだろうか。この点は，ハンブルクの都心周辺部ザンクト・パウリ地区の政策を局地的な成功事例としてみるのか，それとも，市全体にも影響を与えた成功事例としてみるのか，という判断にもかかわってくるように思われる。

　本書は住宅政策，都市計画，都市政策を研究する者にとって必読書となるだけでなく，それ以外の者にとっても，社会的分断の深刻化という社会問題の解決を考える上で極めて重要な著作であるといえる。

ドイツ研究の意義と課題
——国立大学改革と「学問の自由」をめぐる議論から

相澤啓一

　日本ドイツ学会は，ドイツ語圏の文化や社会を対象とする人文・社会諸科学の研究成果を発表し学際的情報交換を行うための貴重な場となっている。しかし，日本社会の中でのドイツやドイツ語，またドイツ研究のベースである人文社会系（とりわけ人文系）研究の位置付けは，何れも末端化しつつある。改めてドイツ研究の意義と課題を考えるとき，特に切迫した問題として見えてくるのは，進行する国立大学改革が日本の学術研究，とりわけ人文科学に与えている大きな影響である。そこでここでは，ドイツにおける「学問の自由」をめぐる議論との対比の中で，特に日本の国立大学改革とその中で萎縮する人文社会系研究の問題から，ドイツ研究の意味を考えてみたい。

1 国立大学改革の経緯

　振り返ると，日本の国立大学における研究環境悪化のターニングポイントは2004年であった。この年国立大学は，活力に富み国際競争力のある大学を目指すとして文科省が打ち出した「大学（国立大学）の構造改革の方針」（2001年）等に基づき独立行政法人化され，運営費交付金の毎年1%ずつの減額が始まった。人件費削減に伴う任期なしポストの減少は，若手研究者から見れば就職難，大学側から見れば研究・教育分野の縮小・廃止に直結する。例えば，各地の大学のドイツ語教育や独文科が衰退した結果，日本独文学会の毎年の地方学会開催は次第に困難になってきたが，それもまた「旧態依然たる大学のままで，新しい時代に対応する教育は難しい」[1]とする文科省がまさに目指した結果だったであろう。では文科省は具体的にどのような大学改革をしてきたのだろうか。

　周知の通り2004年に，6年ごとの中期計画第1期がス

タートした。第2期中期目標期間（2010-15）には「国立大学改革プラン」（2013年）が提唱され，各国立大学には自らのミッション再定義が求められた。第3期中期目標期間（2016-21）において国立大学は，「機能別分化」をすべきとの中央教育審議会答申（2005年）等に基づき，① 地域のニーズに応える人材育成・研究を推進する55大学 ② 分野毎の優れた教育研究拠点やネットワークの形成を推進する15大学 ③ 世界トップ大学と伍して卓越した教育研究を推進する16大学，の何れかのグループに組み込まれた。「運営費交付金改革による国立大学改革の促進」[2]，すなわちアメとムチによる改革方針に，どこかの大学が「従わない」という選択肢はあり得なかった。「社会経済の変化を受けて，今後迅速に改革を加速化」[3]するというトップダウンの大学改革を文科省が実行する中にあって，各大学執行部が個別多様な学術分野の実情にあわせて自らのミッションを定義する余地は乏しく，末端の各研究者がどこまで主体的に自分の大学の中期目標作成・実施に関われたかも疑わしい。むしろ2023年までに「世界大学ランキングトップ100に10校ランクイン」させる等の数値目標を掲げ，そのために産業界には「国立大学と積極的に対話し，大学の機能強化にあらゆる側面から連携・支援をお願い」し，「大学教育の充実と併せて企業側の協力も不可欠」と謳う大学改革は，個別研究分野における内在的議論とは無縁の，外から見た大学への注文という性格が強いものであった。

　こうして国立大学は短期間の間に自らの教育・研究に関する自己決定権を失ってきたが，そのプロセスを決定的に進めた制度変更が2014年の「学校教育法及び国立大学法人法の一部改正」である。これにより，学長は大きな権限を付与されてリーダーシップを発揮することとなり，学長

（1）「変わる社会，大学も改革を——『国立大文系再編』通知の狙い，下村文科相に聞く」『日本経済新聞』（2015年8月10日）における下村博文文科相の発言。

（2）中央教育審議会大学分科会将来構想部会（2018年1月24日）配付資料2「大学の機能別分化の進捗状況」参考2，12頁。https://www.mext.go.jp/b_menu/shingi/chukyo/chukyo4/042/siryo/__icsFiles/afieldfile/2018/01/26/1400706_02.pdf （2020年11月8日閲覧）

（3）本段落の以下の引用は何れも文部科学省「国立大学改革プラン（平成25年11月）」による。https://www.mext.go.jp/a_menu/koutou/houjin/__icsFiles/afieldfile/2019/06/17/1418116_01.pdf （2020年11月8日閲覧）

選出に際しては学内意志が反映されなくてかまわない制度が確立した[4]。加えて，これまで実質的に人事権と予算決定権を持って教育・研究の方針を定めてきた教授会は，学長が行う決定に単に意見を述べる，形だけの存在へと後退した。不透明な学長選出に各地の国立大学で異論が続出し始めるのは何年かたってからのことである。

　かくも大きな変革であれば強い反対があっても不思議はないはずだが，教育・研究現場から遠い地点で立てられた文科省の「国立大学改革プラン」は，多くの研究者にとって他人ごととしか映らなかったようである。実際，大学ごとの中期目標が策定されても，そぐわない個別研究者たちが攻撃されたわけではない。ただ，彼らがやがて定年を迎えると，各大学が再定義して定めた「ミッション」から外れる研究分野は，往々にしてポストそのものが消滅して組織維持が不可能になっていった。2015年に文科省が，人文社会科学系学部・大学院について，「組織の廃止や社会的要請の高い分野への転換に積極的に取り組むよう努めることとする」[5]との通知を発表して経済界を含む各方面からの激しい批判を浴び，釈明に追われたことは記憶に新しい。しかし実際にはそのような指令を出さずとも，組織や人事や経費配分の枠組を変更して現場の発言権を奪うことにより，あまり「地域のニーズに応え」たり「優れた教育研究拠点」になったりしなさそうな研究分野への資金・人材供給が抑制され，「旧態依然たる」学術分野は結果的に駆逐されていったのである。

　では代わりにどのような学術分野が新たに強化されるのか？　2018年に文科省中央教育審議会がとりまとめた「2040年の展望と高等教育が目指すべき姿」[6]で要請されているのは，「国連が提唱する持続可能な開発のための目標（SDGs）」，「Society5.0，第4次産業革命」，「人生100年時代」，「グローバル化」，「地方創生」といったトレンド・キーワードに関わる人材養成である。したがって，縮小の一途をたどる人社系分野に教員ポストが配分される機会が仮にあっても，文科省の意向を汲む大学においては，これらキーワードの関連分野にポストが優先的に配分されることだろう。こうして世代交代とともに研究分野の入れ替えが進行する。むろん，学術分野の更新は世の常であ

る。とはいえ，かつて栄えた天動説や骨相学といった学術領域が消滅しマルクス経済学がすたれてきたプロセスが学術内在的議論の結果であったのに対し，今日人文科学研究が困難になりつつあるとすれば，それはアカデミックな議論の帰結によってではなく，「社会的要請」が低いとのレッテルを貼られた学術が，学術外，とりわけ産業界の利害関心に寄り添う形で実施される大学改革の中で，存在の基盤そのものを失ってきたからである。ただし，強引な人事や予算配分により達成できる改革効果がせいぜい一時的なものでしかないことは銘記すべきであろう。内閣人事局が恣意的な人事を繰り返せば使命感を持った官僚希望の若者が激減して官僚機構そのものが大きなダメージを被るのと同様に，希望する研究をできなくなった大学に優秀な若手研究者は残らない。その長期的な損害もまた計り知れない。

2 「学問の自由」

　以上の経緯から伝わってくるのは，研究者への敬意と信頼を欠いたまま大学改革プランを描いた人たちの，学術に対する無理解である。目指されたのは，各学術分野での優れた研究内容というよりは，「社会的要請の高い分野」における即効性・実用性の高い対外的成果であったが，ならば1期6年の中期計画が第3期まで終わろうとする今，改革によって日本の大学の生産性やランキングはどれほど上がったのだろうか？　近視眼的な有用性追求の犠牲になって疲弊したのは人文科学だけではない。自然科学系学術ジャーナルに占める日本からの論文の割合は減少を続けており，日本の学術研究を特集したイギリスの科学雑誌『ネイチャー』2017年3月23日号が「日本の研究は転換点にある。今後10年間で研究生産量を増やし，質の高い科学を育むことができなければ，日本は世界トップの研究国としての地位を失うリスクがある」[7]と警告を発したことは大きな話題になった。ノーベル賞を受賞した大隅良典，本庶佑の両氏は，機会あるごとに，運営費交付金の削減による基礎研究の弱体化が危機的状況にあることを訴えている。他方，ドイツでマックス・プランク宇宙物理学研究所

（4）文部科学省高等教育局長「学校教育法及び国立大学法人法の一部を改正する法律及び学校教育法施行規則及び国立大学法人法施行規則の一部を改正する省令について（通知）」参照。
　　https://www.mext.go.jp/b_menu/hakusho/nc/__icsFiles/afieldfile/2014/09/10/1351814_7.pdf　（2020年11月8日閲覧）
（5）文部科学大臣「国立大学法人の第2期中期目標期間終了時における組織及び業務全般の見直しについて（通知）」（2015年6月8日），別紙3頁。
　　https://www.mext.go.jp/component/a_menu/education/detail/__icsFiles/afieldfile/2015/10/01/1362382_1.pdf　（2020年11月8日閲覧）
（6）文部科学省中央教育審議会「2040年に向けた高等教育のグランドデザイン（答申）」（2018年11月26日）。
　　https://www.mext.go.jp/content/20200312-mxt_koutou01-100006282_1.pdf　（2020年11月8日閲覧）
（7）Nicky Phillips, "Striving for a research renaissance" *Nature* 23.3.2017.　https://www.nature.com/articles/543S7a　（2020年11月8日閲覧）

の所長を務める小松英一郎氏は，アメリカ流の行き過ぎた競争的資金至上主義が日本でも行われていることに疑問を呈し，マックス・プランク協会の「所長を信頼し，資金は出すが口は出さない」という姿勢の背後にある「信頼」こそが成功の秘訣だと述べている[8]。

　文科省による大学改革がむしろ国立大学における学術研究の基盤を空洞化させ，ひいては学術全体の弱体化を招いている問題を分析するために，ここでは学術をめぐってドイツで行われている議論を参照しておきたい。以下に検討するテクストが文科省の発表資料とは立場や目的が全く異なり，単純な比較に適さないとの批判は承知の上である。とりあげるのは，ドイツを代表する10の学術団体[9]が共同で2019年に展開したキャンペーン，„Freiheit ist unser System. Gemeinsam für die Wissenschaft"（自由が私たちのシステムだ。学術のために手を携えよう）の総括メモである。このキャンペーンでは，ドイツ基本法制定70周年を記念してドイツ各地で半年に亘り「学問の自由」をめぐる数多くのシンポジウムが開催され，しめくくりにシュタインマイヤー連邦大統領らを講演者とする記念式典（2019年9月26日）が開かれた。このキャンペーンの総括メモ「学問の自由をめぐる10のテーゼ」[10]は，前書きで「芸術・学術・研究・教育の自由」を定めたドイツ基本法第5条第3項を引用しつつ，「学問の自由は基本権であると同時にリベラルな民主主義の柱であり，経済的・社会的進歩の前提である」ことを確認して，制約を加えようとする勢力に対抗して学問の自由を強めることを求めている。ドイツの学術が自らに課すべきとされる「学問の自由」実現のための10の具体的課題[11]は，以下のとおりである。

1. 多くの国で学問の自由が脅かされ，研究者が迫害・逮捕されている現状に鑑み，**学問の自由を世界に広げる**ことで，危険に晒された研究者に保護と展望を与えること。

2. 「学術的に検証可能な認識」が「単なる意見表明」とは全く別物であることを社会に訴え，研究成果を明確に分かりやすく伝えることで**学術研究結果への信頼を高める**こと。

3. **学問の自由という特別な権利は自らを厳しく律する責務を求める**ことも意味しており，大学・研究機関が誤情報の発信などにより社会の信頼を損なったりしないよう，高い研究水準，コンプライアンス，法的安定性等を確保すること。

4. **学問の「自由」は何をしてもよい自由ではない**以上，研究にはさまざまな法的・倫理的限界があることを意識し，研究のチャンスとリスクを見定めること。

5. 学術体系の多様性を維持するためには**研究対象を自由に選択できる保証が必要である**こと。トレンドではない研究テーマにも十分な資金を確保することが重要であって，経済的利益や具体的応用可能性を求めるだけの研究になってはならない。

6. 産業や社会の革新力を強化するためには，企業など外部パートナーと学術との連携が重要であり，そのために必要な大学と大学以外の学術機関との間の**知識移転**にも学問の自由の原則があてはまること。

7. **学問の自由のためには安定した研究基盤が必要である**こと。具体的には，研究機関は自律的でなければならず，安定した資金調達が確保されていなければならない。さもなければ研究者が自らの考えに従って多様な研究を行い，社会のニーズに応じて幅広い問題を追求し，予測できないような発見にたどり着くことはできない。

8. **研究成果評価は学問の自由に制約を加えない形で行われなければならない**こと。学問の自由のためには，研究成果は量ではなく質により評価されるべきだし，評価のあり方そのものを批判的に検証する必要もある。例えば，独創的研究は必ずしも論文引用率が高くないが，一般には引用率が評価の重要な指標となっている。

9. 開かれた言論，そして異なる考えを持つ人々との議論は，学問の自由にとっての核心的基盤であって，**学問の自由は議論の文化を必要としている**こと。自分自身の考え方も含めて多様な考え方を批判的に検証するという学術論争の経験が，リベラルな民主主義の基本的価値の強化にもつながるのである。

（8）小松英一郎「ドイツはなぜ一流の研究成果を出し続けられるのか」『論座』（2019年2月12日）。https://webronza.asahi.com/science/articles/2019013100004.html （2020年11月8日閲覧）ちなみに国立大学改革をめぐって発表される数々の文科省の資料に「信頼」という語はほとんど登場しない。

（9）Die Allianz der Wissenschaftsorganisationen として共同キャンペーンを行ったのは，Alexander von Humboldt-Stiftung, Deutsche Akademie der Naturforscher Leopoldina, Deutsche Forschungsgemeinschaft, Deutscher Akademischer Austauschdienst（DAAD），Fraunhofer-Gesellschaft, Helmholz-Gemeinschaft, Hochschulrektorenkonferenz（HRK），Leibniz-Gemeinschaft, Max-Planck-Gesellschaft, Wissenschaftsrat の10団体。

（10）https://wissenschaftsfreiheit.de/abschlussmemorandum-der-kampagne/ （2020年11月8日閲覧）なお本稿ではWissenschaftにあたる語として「学術」「学問」「科学」を用いているが，日本語用例上の慣習に従って意味上の区別なく使い分けているに過ぎない。

（11）紙幅の関係上，ここでの引用は原文翻訳ではなく要約である。なお下線部は各テーゼの標題である。

10. **学問の自由は社会との対話を必要としている**こと。学問の自由の価値はドイツでは当然のように高く評価されているが，生きたダイナミックな理念として未来に向けてさらに適応し，新たな課題や要求に対応し，他の社会的アクターとの間でも絶えず交流を続けることが求められている。

　以上の議論を見ると，「学問の自由」とは，単に体制批判的研究に対する公権力介入や研究者弾圧が起こらないことを意味するだけではない。とりわけナチスの歴史を背負うドイツにおける「学問の自由」とは，大学・学術が常に自らを律しつつ社会との対話の中で目指し続けるべき日常的・具体的な課題の総体であり，ドイツ連邦政府にとってもプライオリティの高い具体的政策目標となっているのである[12]。そのことは，2020年後半のEU議長国であったドイツが，EU各国の学術研究担当大臣を集めた10月20日の閣僚会議において，この「学問の自由をめぐる10のテーゼ」をさらに発展させた「研究の自由のためのボン宣言」を採択し，研究の自由を保障する欧州研究圏の提唱へとつなげた姿勢にも読み取ることができるだろう。

　この「10のテーゼ」の文章を，先に見た日本の国立大学改革をめぐる文科省の文章と比べてみるとき，同じように学術の望ましいあり方を求めているはずの両者が，あまりに異質で接点がないことに驚きを禁じ得ない。例えば，改革実現のために支援（すなわち資金）の配分を手段とすることを謳う文科省の次の文章を，「学問の自由をめぐる10のテーゼ」のどこかに入れられるだろうか？

　　改革の取組を進める大学には，機能強化の方向性に応じた重点支援を行い，改革の取組を支援。また，学内においても，明確な評価に基づく資源再配分を行うようにし，機能強化や改革の取組を更に推進。[13]

　この文章は，少なくとも上記の第5，第7，第8テーゼに明白に違反している。第9，第10テーゼにもおそらく抵触するだろう。資金分配の見直しをちらつかせて研究・教育内容に影響を与えようとする日本の大学改革の基本方針そのものが，ドイツにおける「学問の自由」の理念と根本的に相容れないのである。ましてや，大学から自己決定権を奪った2014年の「学校教育法及び国立大学法人法の

一部改正」による制度改革がアウトなのは言うまでもない。むろん，ドイツでも大学や学術をめぐる実態がここに描かれている理念とは必ずしも一致しないケースがあるからこそ，こうしたキャンペーンも実施されるのだろうし，ここで比較した日独のテクストが異なる文脈で書かれていることには改めて留意する必要がある。それにしても両者の語る言語はなぜこれほどまでに違っており，「学問の自由」をめぐるドイツの議論はなぜ日本社会にここまで縁遠いのだろうか？　元衆議院議長が「学問の自由と言えば，水戸黄門の印籠の下にひれ伏さなくてはいけないのか。憲法は，自由は乱用してはならないと定めている」[14]と発言する日本社会では，ドイツで議論されている意味での「学問の自由」は不要なのだろうか？　もしそうでないなら，私たち研究者のすぐ身の回りで既に日常的かつ大規模に「学問の自由」の侵害が進行していることになる。いずれにせよ，ドイツとの知的対話が今の日本社会にとって望まれるテーマが，ここにもまた一つ見つかるのである。

3　ドイツ研究の意義と課題

　「ドイツから学ぼう」というスローガンは，最近の日本ではすっかり色褪せている。例えば「ドイツ妄信の罠」と題した特集を組んだ日本語版『Newsweek』誌2020年11/3号の表紙には，「日本人が知らない『理想国家』の実像——『ドイツから学べ』幻想」といった見出しが踊る。こうした傾向は，日本でも大きな反響を呼んだ1985年のヴァイツェッカー大統領演説に反発するようにして「新しい歴史教科書をつくる会」が活動を始めた頃から目立ち始めたように思われる。歴史問題や原発など意見が分かれる話題に関してドイツが言及されるたびに，日本の立場の優位性を主張したい人たちが「まだドイツに学ぼうなんて言ってるの？」と揶揄するシーンが，特にネット上では珍しくない。仮に「学問の自由」に関する日独対話が実現しても，同様の反応がきっと繰り返されることだろう。

　2021年に160周年となる日独関係を振り返ると，時代ごとにドイツへのニーズは大きく変化してきた。周知の通り明治期にはドイツから学術（とりわけ法学・医学）や法制・軍事技術を取り入れることが喫緊の国家事業となり，多くの御雇外国人が迎え入れられ，留学生がドイツに送られた。比較的最近までドイツ語が大学の選択必修科目に

(12) この点を，天文学者でJSPSボン研究連絡センター長の林正彦氏も指摘する。林正彦「政治家が『学問の自由』を諭すドイツ——ドイツに住んでわかった西欧と日本の価値観の根本的な違い」『論座』（2020年10月7日）。
　　　https://webronza.asahi.com/science/articles/2020100600002.html　（2020年11月8日閲覧）
(13) 文部科学省「大学改革の検討状況について」（2015年3月）
　　　https://www.mext.go.jp/b_menu/shingi/chousa/shinkou/039/shiryo/__icsFiles/afieldfile/2015/03/12/1355691_6.pdf　（2020年11月8日閲覧）
(14) 2020年11月5日，新聞各紙に引用された伊吹文明元衆議院議長の発言。

なっていたのはこの歴史に由来する。やがて音楽・哲学・文学などのドイツ文化受容が追いつき，そこで成立したドイツ像は今日まで根強く残っている。日本からドイツに留学する学生の専攻分野が今なお（軍事を除く）上記分野に集中しがちなのもその名残であろう。第二次世界大戦期には，同盟国となった日本の独文学者とドイツの日本学者が，両国の社会にとって「社会的要請の高い」人文社会科学分野の研究や翻訳を量産した。木村謹治の『日本精神と独逸文化』（1940）や Walter Donat らの „Das Reich und Japan“（1943）などがその代表的「成果」であるが，むろん今日顧みられることはない。学術研究は国策追随には慎重でなければならないという大きな教訓だけがそこに残った。

　それでは現在の日本にとってドイツとは，世界に数多ある国の中でどのような意味を持つパートナーなのであろうか？　現在，アメリカの安全保障体制下にある日本にとって，ドイツ（のみならずヨーロッパ）の外交的比重はさほど大きくはない。中国が覇権を強めるアジア・太平洋地域における近隣諸国との間の難しい舵取りにも，ドイツはあまり関係してこない。にもかかわらずドイツとの関係は，日本にとって特別な外交的・学術的意味を持ち続けている。その背景には，両国の経済規模や人口動態，近代化や戦後復興のプロセスなどが類似しており，民主主義や人権等の「共通の価値」を分かち合っており，ドイツから受容した法体系や社会保障などの制度が日本社会に数多く残ってもいるため，少子高齢化やデジタル社会，持続可能な成長など今後に向けた共通する課題を見つけやすいことがあげられるだろう。類似点が多いからこそ相違の意味や問題点がはっきり論じやすく，対話や協力の意味が大きくなる。中でも，第二次世界大戦における同盟国であったドイツの過去との取り組みに関する議論は，日本にとって特別な意味を持っている。

　人類はその歴史のなかで，ときに大きな過ちを繰り返してきた。欧州各国による植民地主義はその最たるものの一つであり，いち早く近代化をなしとげた列強が世界の分割と対立を繰り返し二度の世界大戦に至った過程においては，現在の尺度から見ればおよそ容認できない差別や迫害，性暴力や大量虐殺等の重大犯罪が各地で無数に繰り返されてきた。自らの過去と真摯に向き合うべき国は，第二次世界大戦の戦勝国も含め数多く，日本もむろん例外ではないが，十分な対応がなされてきたとは到底言い難い。例えばコンゴやアルジェリアやベトナムでの無差別殺人，原爆投下や従軍慰安婦など，謝罪や償いが求められ続けている歴史は数多いし，内戦や思想統制により大量の犠牲者を出した中国やロシアなどの国では今も言論の自由はなく体制批判者への粛清体質が継続している。こうした国々ではそれぞれ，過去の自国の行為から目を背けたり自己正当化

したりする必要から，歪んだ主張を現在の政治や外交に持ち込み，新たなトラブルと絶望を生みがちである。その中でドイツは，第二次世界大戦で戦敗国となったことに加え，ナチズムの犯罪が破格な規模だったがゆえに，自らの歴史を犯罪として直視することとなった。ナチスドイツが犯罪国家だったとの認識を社会のコンセンサスとして確立し，そのための法整備も行い政治教育も実施してきたおかげで，現在のドイツは，過去に自国が犯した過ちの一定部分について大きな対立も抑圧もなくオープンに議論できる稀有な国となっている。むろんそれでも，対応の不徹底さや恣意性を指摘することは可能だし，問題のある政党や団体に属して活動を続ける人も一定数存在する。にもかかわらず，自国の大きな負の遺産に対して隠蔽や抑圧をせずに向き合うに至ったからこそ，さまざまなテーマについて理念や理想を提示し正面から議論しやすい文化を作りあげてきたドイツのあり方は，克服すべき過去を抱えるのがドイツだけではないことを考えさせてもくれ，日本から見て率直に参考となる。戦前までかなり権威主義的な社会だったドイツは，議論を通じてコンセンサスを作る能力の高い市民社会へと大きく変化したのである。「学問の自由」のために学術団体が手を携えて戦い，国家元首が真摯に本音で議論に加わったキャンペーンはその一例であろう。そこには，学術研究の理念がドイツ基本法を通じて民主主義や人権といった「共通の価値」の尊重へと真っ直ぐにつながっている様子が見て取れる。こうした文化は現在のドイツが誇るべき大きな資産であり，だから私たちは，たとえ揶揄されてもドイツを研究し，ドイツをパートナーとしてさまざまな分野の対話を進めることに大きな意味があるものと考える。

　むろん，「ドイツから学ぶ」だけでは終わらせられない。「学問の自由をめぐる 10 のテーゼ」には，学問が自由を享受するのと引き換えに自ら課すべきさまざまな課題や責務も提示されている。私たちも，文科省による大学改革にもかかわらずドイツ研究の価値を維持発展させるためには，研究者のスキルをさらに高め，さまざまな改革を自ら実践していく必要がある。例えばドイツ研究は自問したい。自分たちの研究成果は社会に十分に還元されているだろうか？　例えばナショナリズム研究など大きなパラダイム転換をなしとげた人社系の学術成果を，どうすれば十分に社会にフィードバックし，世論におけるコンセンサス形成やフェイク撲滅に寄与することができるだろうか？　もし人社系学術研究への社会的評価が低いとするなら，もしかするとそれは人社系の修士・博士号取得者が研究職以外のポストに就く道があまり開かれていないことにも起因するのではないだろうか？　では，政治や経済やメディアで活躍する人々の間で学位取得者の割合を他の先進国並みに高めるにはどうすればよいのだろうか？　日本学術振興会ボン

研究連絡センターのホームページなどを見れば，日独学術交流全体の中で，英語による自然科学分野の個別研究交流に比べてドイツ語による人社系研究者の影がいかに薄いかが一目瞭然である。自然科学では今やプロジェクトごとの共同研究が当たり前だが，どうすれば人社系でももっと軽々とプロジェクトごとの共同研究チームを作れるだろうか？　これまで文学や歴史や政治学など既成の専門分野ごとに行われてきたドイツ研究を，どうすれば新たな領域や視点を開拓するためにさらに学際性を高め，国際共同研究を誘発できるだろうか？　学会レベルでもドイツの学会や学術団体との連携や対話のルートをもっと太くできないだろうか？　ドイツに海外オフィスを持つ日本の大学はいくつもあるのに，なぜそこにドイツ研究者がほとんど関わっていないのだろう？　日独間の対話が英語に流れ，その言語運用レベルにあわせて日独間の議論が浅薄化するのを防ぐためにも，人社系ドイツ研究において日本語とドイツ語が学術言語として使用され続けるにはどうすればよいだろうか？

　他方，ドイツから見た日本との学術交流にも魅力が伴わなければならない。そのための努力もまた日本のドイツ研究の一つの課題であろう。かつて GNP 世界第 2 位を誇った日本の国際的地位が今後じり貧となるのは，少子高齢化や国債残高の現状を見れば避けがたい。メルケル政権の東アジア地域への関心が中国寄りになっていったことは周知であるが，しかし，そのメルケル首相が日本について強調したのは，日独両国が「共通の価値と考え方を共有している」[15]ということであった。これは，メルケル首相でも中国では口にできない最大級の讃辞である。日本は学問や表現や思想の自由や人権を尊重する先進国である——このように認識されているということは，戦後日本が培ってきた信頼の証であり，貴重な資産である。今後日本が西側諸国との交流や外交において中国に対抗して生き抜くためには，この信頼が最大の後ろ盾になるに違いない。であればこそ，その信頼をぶち壊すような事態が起こらないよう，私たちは努めなければならない。例えば愛知トリエンナーレへの対応や日本学術会議会員任命拒否事件は，表現や学問の自由の尊重を保証していたはずの日本の実態が実は違うのではないかとの深刻な疑念を西側諸国に呼んでしまった。ドイツ人の中で最もよく日本を理解し日本のために貢献してくれようとしていた日本学者たちが，日本の対応に

距離を取るのも無理はない。このように国家自らが国益を損ねるとき，「旧態依然」で「社会的要請」が低いとされる「自由な学問」こそは，自らのやり方でこうした問題にも声を上げ，忖度なき公正な議論へと人々を誘い，少なくとも言論の自由が日本国内で確保されていることを海外の研究者に向けて発信することができるはずである。

　大学改革をめざして文部科学省が発信してきた大量の文書の中に，研究者への「信頼」，「学問の自由」と並んで，見かけることが皆無の単語がもう一つある。「批判」である。「批判」とはむろん，「政権批判」といった使用例での「非難」に近い意味だけではなく，自らの認識能力を含むあらゆる対象についてよりよく理解するために可能な限りの省察を加えて検証する知的作業のことを言う。人文科学は人間という主体に対する問いから出発する学問分野なので，人間や社会を理解するために批判能力の養成は不可欠である。ドイツでも「人文科学の危機」が語られて久しいが，人文科学攻撃に対して哲学者のマルクス・ガブリエルは，「人文科学をなくすことはできない。なぜなら人文科学は私たちにとってその必要性がいや増すばかりのものを教えてくれるからだ。すなわち，批判的に考えるということを」という長いタイトルの記事で反論している。その中でガブリエルは，次のように記している。

　　人文科学を攻撃する者は，方法論的・自己省察的・批判的な思考の能力を葬り去るでしょう。人文科学を置き去りにして科学技術ばかりにのめり込む者は，批判的思考という概念を私たちに授けてくれた啓蒙のプロジェクトを土台から破壊してしまうのだ。[16]

　こうした人文科学の持つ特性は多くの社会科学とも共通する。ドイツ研究を始めとする人文社会科学は，そのときどきの「社会的要請」という短期的視点から見るなら有用性は高くないかもしれない。しかし，例えば内閣法制局や日銀など中立であるべき機関の独立性が次々に失われてゆく社会にあって，人文社会系の学術研究はすぐには役に立たないからこそ，社会が道を誤らないための最後の砦としてますます重要な役割を担っている。ドイツ研究もまた，そうした人社系学術の一翼を担って，ドイツと日本社会との間の自由で批判的な知的対話を紡いでゆく存在であり続けたい。

---

(15) Presse- und Informationsamt der Bundesregierung, Video-Podcast der Bundeskanzlerin #09/2015（7. März 2015）．https://www.bundesregierung.de/resource/blob/992804/780932/0495704a573021481c1458ffd67399a0/download-pdf-data.pdf?download=1　（2020年 11 月 9 日閲覧）

(16) Markus Gabriel, „Geisteswissenschaften sind unentbehrlich. Sie lehren uns das, was wir mehr und mehr brauchen: kritisches Denken", *Neue Zürcher Zeitung*, 18. 11. 2019.

執筆者紹介 (掲載順)

●**秋野 有紀**（あきの ゆき）-----------------------------
獨協大学外国語学部准教授（文化政策学）
"Why studying German cultural policies as an essential value for individuals and society is important. A comparative study of Germany and Japan", Forschungsfeld Kulturpolitik - eine Kartierung von Theorie und Praxis, Universitätsverlag Hildesheim, 2019, pp. 451-458;『文化国家と「文化的生存配慮」──ドイツにおける文化政策の理論的基盤とミュージアムの役割』（美学出版, 2019 年）。

●**藤原 辰史**（ふじはら たつし）-----------------------
京都大学人文科学研究所准教授（環境史, 農業史）
『決定版 ナチスのキッチン』（共和国, 2016 年）;『分解の哲学』（青土社, 2019 年）。

●**飯島 幸子**（いいじま さちこ）-----------------------
愛知大学国際コミュニケーション学部国際教養学科助教（社会学）
「第 13 章 『ドイツ統一』に関する東ドイツ社会科学者の経験──ベルリン・フンボルト大学を事例としたインタビュー調査より」野上元／小林多寿子編『歴史と向きあう社会学──資料・表象・経験』（ミネルヴァ書房, 2015 年）, 301-322 頁;「ドイツ統一と大学改革──ベルリン・フンボルト大学における 2 つの改革に関する社会学的考察」『学苑』第 900 号（2015 年）, 67-79 頁。

●**伊豆田 俊輔**（いずた しゅんすけ）---------------------
獨協大学外国語学部准教授（東ドイツ史）
「東ドイツ『公文書』の現在」『歴史学研究』985 号（2019 年）, 22-35 頁;（翻訳）ウルリヒ・メーラート（伊豆田俊輔訳）『東ドイツ史 1945-1990』（白水社, 2019 年）。

●**宮崎 麻子**（みやざき あさこ）----------------------
大阪大学大学院言語文化研究科准教授（ドイツ文学）
Brüche in der Geschichtserzählung. Erinnerung an die DDR in der Post-DDR-Literatur, Würzburg: Königshausen & Neumann, 2013; "Myth of Preservation: Images of Ice, Snow and Glaciers as Metaphors for Memory in Post-Holocaust Literature and Art（Sebald, Celan, Bałka）", Susi K. Frank / Kjetil A. Jakobsen（eds.）, *Arctic Archives. Ice, Memory, and Entropy*, Bielefeld: transcript, pp. 231-251.

●**大下 理世**（おおしも りせ）-----------------------
東京大学ドイツ・ヨーロッパ研究センター特任研究員（ドイツ現代史）
「冷戦下のドイツにおける分断国家の現状──連邦共和国の政治家ハイネマンの言説の変化に着目して」『ヨーロッパ研究』第 20 号（2021 年）, 19-27 頁;『連邦大統領ハイネマンとドイツにおける民主主義の伝統』（博士論文, 2020 年）。

●**岡本 奈穂子**（おかもと なおこ）----------------------
日本大学経済学部准教授（ドイツ移民研究）
『ドイツの移民・統合政策──連邦と自治体の取り組みから』（成文堂, 2019 年）;「ドイツにおける移民の貧困」大曽根寛／森田慎二郎／金川めぐみ／小西啓文編『福祉社会へのアプローチ［上巻］』（成文堂, 2019 年）213-232 頁。

●**川﨑 聡史**（かわさき さとし）-----------------------
日本学術振興会特別研究員（PD）（2021 年 4 月より）（ドイツ現代史）
「社会主義ドイツ学生同盟（SDS）の対米認識の変容── 1960 年代の西ベルリンを中心に」『ヨーロッパ研究』17 号（2017 年 12 月）, 17-28 頁;「1968 年運動後のドイツ社会民主党青年部ユーゾーによる「反乱」──フランクフルト・アム・マインを中心に」『西洋史学』269 号（2020 年 6 月）, 37-57 頁。

●**石田 圭子**（いしだ けいこ）-----------------------
神戸大学大学院国際文化学研究科准教授（美学・芸術論）
『美学から政治へ──モダニズムの詩人とファシズム』（慶応義塾大学出版会, 2013 年）;「カール・ハインツ・ボーラーの「突然性（Plötzlichkeit）」をめぐって」『美学』71 号（2019 年）, 49-60 頁。

●**川喜田 敦子**（かわきた あつこ）----------------------
東京大学大学院総合文化研究科准教授（ドイツ現代史）
『東欧からのドイツ人の「追放」── 20 世紀の住民移動の歴史のなかで』（白水社, 2019 年）;『ドイツの歴史

教育（新装復刊版）』（白水社，2019 年）。

◉**小谷　英生**（こたに　ひでお）-----------------------
群馬大学共同教育学部准教授（哲学，倫理学，社会思想）
「道徳と〈幸福であるに値すること〉」『現代カント研究』
第 14 巻（2018 年），86-109 頁；「カントとコモンセンス」
『思想』第 1135 号（2018 年），43-61 頁。

◉**佐野　敦子**（さの　あつこ）-----------------------
東京大学大学院情報学環特任研究員（2021 年 4 月より），
立教大学大学院兼任講師（社会デザイン学，ジェンダー）
「ドイツの成人教育からみる『統合』と国民アイデン
ティティの形成（博士論文）」（立教大学，2014 年）；「ジェ
ンダーからみた AI 戦略──ドイツのデジタル変容と
ジェンダー平等推進」『国際ジェンダー学会誌』第 18 号
（2020 年），39-63 頁。

◉**永山　のどか**（ながやま　のどか）-----------------------
青山学院大学経済学部教授（ドイツ社会経済史）
『ドイツ住宅問題の社会経済史的研究──福祉国家と非
営利住宅建設』（日本経済評論社，2012 年）；「1960 年代
西ドイツにおける団地建設と区画整理事業──シュツッ
トガルト市の事例」馬場哲／高嶋修一／森宜人『20 世
紀の都市ガバナンス──イギリス・ドイツ・日本』（晃
洋書房，2019 年），159-190 頁。

◉**相澤　啓一**（あいざわ　けいいち）-----------------------
筑波大学人文社会系教授（ドイツ文学），国際交流基金ケ
ルン日本文化会館館長
「Unrecht と Betroffenheit ──戦後ドイツの文学と社会
を貫く二つのモチーフ」『（筑波大学）文藝言語研究　文
藝篇』第 51 号（2007 年），1-45 頁；Zur Konstruktion
der Nicht-Intimität in Goethes „Werther". Zwei Überle-
gungen aus japanischer Sicht, Inoue Shuichi/Ueda Koji
(Hg), *Über die Grenzen hinaus*（iudicium, 2004），S.75-93.

日本ドイツ学会　第36回大会報告

日本ドイツ学会大会は2020年6月21日（日），オンラインにて開催された。プログラムは以下の通りである。

フォーラム　10時–12時
1　ドイツの気候変動教育の成果と課題
司会　山本隆太
　　　1）地理教育における気候変動教育の過去と現在【山本隆太】
　　　2）宗教教育と哲学教育による気候変動問題への取り組みの可能性【濵谷佳奈】
　　　3）気候変動教育における社会教育施設の可能性
　　　　　　　——ドイツ・オーストリアの先進事例より【高橋敬子】

2　研究報告フォーラム
司会　小野寺拓也
　　　1）18世紀後半の北ドイツにおける音楽受容の実際
　　　　　　　——言説と資料による同時代的視点からの考察【田中伸明】
　　　・コメント【玉川裕子】
　　　2）ドレスデンにおける"移民敵視"の背景【岡本奈穂子】
　　　・コメント【佐藤公紀】

シンポジウム　13時30分–17時
東ドイツの長い影——東西ドイツ統一から30年
司会　秋野有紀，藤原辰史
　　　1）社会変動と知識人の運命——統一後「大学改革」とDDR社会科学者の経験から【飯島幸子】
　　　2）東ドイツ史と二重の「終焉」—— 1990年からの東ドイツ史研究動向を中心に【伊豆田俊輔】
　　　3）文学における東ドイツの想起の語り——アイデンティティの政治とは別のところへ【宮崎麻子】
　　　4）余暇と抑圧のはざま——後期東ドイツ文学における芸術参与の社会条件【矢崎慶太郎】

2019年度ドイツ学会奨励賞
受賞作発表ならびに選考理由

西山暁義
(学会奨励賞選考委員会　委員長)

　2019年度の日本ドイツ学会奨励賞は，秋野有紀さんの『文化国家と「文化的生存配慮」──ドイツにおける文化政策の理論的基盤とミュージアムの役割』美学出版，および，川喜田敦子さんの『東欧からのドイツ人の「追放」── 20世紀の住民移動の歴史のなかで』白水社，の2作品に授与することとなりました。以下，審査の経緯について，簡単にご報告申し上げます。

　今回，奨励賞候補作品を選定する前段階として，本年度より選考委員会事務局を担当されることになった村上宏昭さんより，昨年度と同様，対象期間に出版されたドイツおよびドイツ語圏に関わる書籍のリストを選考委員会，および理事幹事会に示していただき，それと同時に奨励賞候補作品の推薦を学会員の皆様にお願いいたしました。

　その結果，4作品が奨励賞候補作品として推薦されることになりました。うち1作品につきましては，本年1月，2009年度の深井智朗氏の奨励賞受賞取り消しに際し，今後学際性を維持しつつ再発を防止するための取り組みとして，学会HPにおいて報告させていただきましたように，「候補作品が，選考委員会がカバーする専門領域から外れる場合，学会の内外を問わず，可能な限り近接分野の専門家に調査を委嘱する」ことを実行いたしました。ここで鑑定を執筆していただいた方，また鑑定者の紹介にご尽力いただいた方のお名前を挙げることは差し控えさせていただきますが，ご協力に心から感謝を申し上げたいと思います。

　さて，この4作品につきまして，本年度より6名へとスリム化した審査委員が査読し，それぞれの作品の評価を事務局に提出しました。評価は従来通り，各委員がそれぞれの作品に所見とともに10点満点で評点を付け，それを集計する形で行いました。その上で，5月31日，委員全員の参加によるオンライン会議での合議のうえ，受賞作2作品を決定いたしました。

　最初に，秋野さんの作品にかんしましては，ドイツにおける文化政策がどのような歴史的背景の下に成立，発展してきたのかを跡付けたうえで，戦後の西ドイツ，そして「採算性」の名のもとに市場原理が文化領域により浸透するようになった統一以降のドイツにおいて，文化の「公共性」がどのように定義され，そして実践されてきているのかを主題とした，きわめて意欲的な研究と評価されました。「文化的生存配慮」をキー概念として，法制度，行政と，ミュージアムにおける実践の双方向からのアプローチは，議論に奥行きを与え，そこに示された民主主義社会と文化の関係のあり方をめぐるドイツの試行錯誤は，今回，新型コロナ感染症問題が図らずも露呈させた日本における文化の公共性の問題を批判的に考えるうえでも，大いに参考になるであろうことが，多くの委員によって指摘されました。

　次に，川喜田さんの作品につきましては，「追放」という長くナショナリズム，一国史的枠組みのなかで語られ，研究されてきたテーマを，時間軸と空間軸を広く設定し，それがいかにヨーロッパ的次元のなかで構想，実行されてきたのか，また追放民たちの統合の複合的なプロセス，そして社会，学術における記憶や神話の形成にいたるまで，さまざまな側面を豊富な資料をもとに堅牢に論じた労作である，という点で評価は一致しました。ドイツ史をヨーロッパ，さらにはグローバルな文脈の中に位置づける試みが，近年さまざまな研究によって行われておりますが，川喜田さんの研究は20世紀現代史にかんするその重要な例であり，「住民移動」をかく乱要因ではなく，むしろ重要な構成要素とする視点は，ドイツにかんする学際的なアプローチに大いに刺激を与えうるものである，と評価することができます。

　以上，2作品とも，ドイツ研究の学際的発展に資する，という奨励賞の趣旨に十分にかなう研究であるという点について，選考委員会の意見は一致し，2作品同時受賞ということに決定いたしました。このことを6月6日の理事幹事会に答申し，承認をいただきました。

　最後に，受賞されたお二人に心からのお祝いを申し上げて，報告を終えたいと思います。秋野さん，川喜田さん，まことにおめでとうございます。

◉ 2019年ドイツ学会奨励賞受賞挨拶 ◉

秋野有紀

獨協大学の秋野有紀と申します。この度は，拙著『文化国家と「文化的生存配慮」』に日本ドイツ学会奨励賞という名誉ある賞を与えていただき，誠にありがとうございました。この場をお借りして，本書を御推薦下さった方，選考委員の先生がたをはじめ，これまでの研究生活でお世話になってきた全ての方々に，心よりの御礼を申し上げたく存じます。

本書は，ドイツの文化政策を扱っています。2000年代半ば，ドイツには，ボン基本法を改正し，国家目標を定める第20条に，民主的，社会的と並び，文化的を入れられるか，という議論がありました。そうなると，ドイツを「文化国家」と呼ぶことも可能になるわけですが，ここで大きな論争となったのが，本書のタイトルの文化国家と生存配慮でした。

文化国家には先進国という意味もあります。しかしある一時期，ドイツで，集権的かつ闘争的な用法が現れた時期がありました。生存配慮は，政策理念を実施する行政レベルの用語です。しかしこちらもナチ時代に，法に優越する権力を行政に集中させるための理論となりました。それゆえ今日でも，留保が付きます。

本書はこの2つを手掛かりに，3つの方向から，ドイツがどのような思いで，文化政策を形作ろうとしてきたのかを，探ってゆきました。1つ目は，近代国民国家揺籃期の文化振興法制化の意図，2つ目は，戦後西ドイツの文化政策理念の狙い，そして3つ目は，80年代以降，そうした政策理念を可視化していったミュージアム制度の意味です。

ナチ時代の過去の反省から，ドイツの文化政策の権限は，州と自治体にあります。しかし州であれ，自治体であれ，政治権力が芸術に介入する危険性は同じです。本書がドイツの特徴として，一番強調したかったのは，それを見越して，1970年代に「新しい文化政策」を始めるにあたって，批判的民主主義というものが，文化政策の基本に，なかば期待を込めて埋め込まれ，その上に今日の制度がある，という点です。

日本では，「ドイツも福祉に手厚いヨーロッパの国のひとつだから，自ずと文化予算が潤沢なのだろう」と思われがちです。けれども，ドイツではしばしば，「文化は，民主主義の基盤」であり，「文化政策は，（Sozialpolitik ではなく）Gesellschaftspolitik である」ことが強調されます。つまり「自らの理性を公的に使う」という意味で批判精神を持った市民が，自らの手で，統制し，形作っていくことを重視する政治領域の一つと，理念的には，考えられています。こうした政策や，既存学問の批判的な問い直しという潮流が相互に影響を与える中から，ミュージアム論争や歴史家論争が，起こっていきます。

今日わたしたちはドイツのミュージアムで，多くのギャラリーガイドや音声ガイド，展示の説明を見かけます。議論を喚起するこうした仕事を担うために制度化されているのが，フェアミットラーです。もはやペダゴーゲと言われないのは，彼らが，来場者に作品の情報を教養として「教える」存在ではないからです。彼らは，既存の価値観や思考枠組を揺さぶり，分析視点の複数性を，住民と一緒に生み出すためにいる専門です。

さて最後になりますが，ドイツの政策立案では，基本中の基本として Bestandaufnahme，つまり，まず現状把握をせよ，ということが，口を酸っぱくして言われます。しかし私自身は，自分の関心のままに潜ったり，浮かんだり，回り道ばかりしています。本書でも，歴史や哲学思想に触れないと政策の背景が理解できない部分に関しては，その時々に学ぶよう努めては参りました。しかし，専門家の方々から見ると，理解が表層的で，間違いもあるかもしれません。この受賞を機に，本書が様々な分野の専門家の方がたの目に留まり，さらなるご批判を戴けましたら，大変有難く存じます。

本日は，貴重な機会を設けていただき，誠にありがとうございました。

以上をもちまして，私の挨拶に代えさせていただきたく存じます。

◉ 2019年ドイツ学会奨励賞受賞挨拶 ◉

川喜田敦子

　このたびは，昨年春に白水社から出版いたしました『東欧からのドイツ人の「追放」──二〇世紀の住民移動の歴史のなかで』に対して日本ドイツ学会の学会奨励賞をいただけることになり，大変光栄に思っております。先ほど，学会奨励賞選考委員会の西山委員長から，身に余る評価のお言葉をいただいたことにつきましても御礼を申し上げます。

　この本のもとになる研究を始めたのは，1990年代の終わり頃のことです。被追放民の統合というのは，私が博士論文で取り上げたテーマでした。この本の後書きにも書いたことですが，論文を書き終えた後，すぐにも本にしたほうがよいとあちらこちらから言われながらも，私は，博士論文そのままの形ではどうしても出版することができませんでした。以来，20年近くかけて，このテーマをどういう形で世に問えばよいのかということを考え続けてきたことになります。

　それは，修士・博士あわせて5年間という，人文系の研究者としては際立って短期間のうちに博士論文を書いて大学院を出てしまった私にとって，つまり，研究者として一人前になる前に修業期間を終えてしまったということを切実に意識せざるをえなかった私にとって，苦しい時期ではありましたが，大学院を出たからこそ，対象地域も方法も違う方たちと自由にいろいろなプロジェクトをご一緒できるようになり，少しずつものが見えるようになっていった，学びと成長の時期でもあったのだと思います。

　20年のうちに，いつの間にか，後進を育てる身になりました。これほど時間をかけることを誰にも勧めはしませんが，これから研究者になろうとする若い世代が，どういう道を通ることになろうとも，自分なりの歩みを重ねて，いつか納得のいく仕事ができるようになる──その手助けをすることができればと考えております。

　この本を書きながら，私のなかには3つの大きな関心が底流としてありました。第一に，歴史の記述としては，ドイツという一国史の枠組みを超えて，ヨーロッパ，さらにはアジアをも含み込むような大きな視野のなかで対象をとらえたいということです。これについては，この本のなかだけでは十分に実現することができませんでしたが，昨年11月に名古屋大学出版会から共編として出した『引揚・追放・残留──戦後国際民族移動の比較研究』という本のなかで，さらに一歩進めることができたかと思っております。

　第二に，歴史の事象がどのように歴史の語りになっていくのかを，現実の歴史的文脈のなかで考えたいという関心もありました。何度か書評会を設定していただいたなかで，この点についてはあまり議論になったことがないのですけれども，実はこれが，もともとの私の問題関心の核です。戦後の国内情勢，国際情勢が，「追放」の当事者に対する統合政策だけでなく，彼らと彼らの経験をどう語るかも規定していく──東欧からのドイツ人の「追放」というのは，私にとっては非常に面白い素材でした。

　第三の関心は，自分の扱う歴史的なテーマについて語ることが，今，自分の生きている社会と世界に意味をもつものでありたいということです。今回の本は，「ひとの移動」が大きな問題になったとくに2015年以降の情勢を踏まえて，「他者と生きる」ということを歴史の連なりのなかで考えようとしたものです。また，この本を日本で出版するということは，加害国の被害体験をどう語るかということが重要なモチーフになるということでもありました。

　今，この本の後にとりかかろうとしている仕事は，少し違うテーマになりますが，根本的な関心には通底するものがあるのではないかと思っております。次のテーマにもしっかりと取り組み，また皆様のお目にかけることができるようなものにしたいと考えております。今回，学会奨励賞をいただけたことは，次の仕事の弾みになります。このたびは本当にありがとうございました。

日本ドイツ学会案内

1. **ホームページ**

   日本ドイツ学会のホームページは，http://www.jgd.sakura.ne.jp/ にあります。

   ご意見・ご要望がありましたら，事務局までお寄せください。

2. **入会について**

   入会希望者の方は，会員2名の推薦を得て，学会ホームページ上にある入会申込書に記入の上，下記事務局までお送りください。年会費は 5,500 円です。

3. **学会誌『ドイツ研究』への投稿募集**

   『ドイツ研究』では，ドイツ語圏についての人文・社会科学系の論文，トピックス（研究動向紹介など学術的内容のテーマ），リポート（文化・社会情勢，時事問題などに関するアクチュアルな情報）の投稿を，会員より募集しています。分量は，ワープロ原稿（A4・40字40行）で論文10枚程度，トピックス5枚程度，リポート4枚程度となります。応募受付は毎年4月末まで，原稿の締切は8月20日です。なお，執筆の際は，『ドイツ研究』執筆要領に沿ってお書き下さい。投稿された論文については，投稿論文審査要綱にもとづく審査をへて，掲載の可否についてご連絡をいたします。詳しくは学会ホームページをご覧ください。

4. **新刊紹介の情報募集**

   学会ホームページには，会員による新刊書籍・論文等の業績紹介ページを設けています。掲載希望の会員は，発行1年以内のものについて，書名（論文名），著者名（翻訳者名），発行年月日，発行所（掲載誌名），ISBN（ISSN），価格，書籍紹介ページのリンク等を，事務局までご連絡ください。

5. **連絡先**

   〒 153-8902　東京都目黒区駒場 3-8-1

   東京大学大学院総合文化研究科・教養学部　18 号館

   足立信彦研究室内　日本ドイツ学会事務局

   germanstudies@jgd.sakura.ne.jp

編集後記

『ドイツ研究』55号をお届けします。ご寄稿いただいた皆さま，査読をお引き受けいただいた先生方，辻英史前編集長をはじめ支えてくださった編集委員の皆さま，組版・印刷・製本をお願いした双文社の皆さま，販売をお任せする極東書店の皆さまに，心からお礼を申し上げます。COVID-19 感染拡大により日常の業務量が増大するなか，原稿執筆や編集作業を早めに進めて下さったことに，あらためて感謝の念を深くしています。

ドイツでは今年度，公正な言語使用をめぐる議論がさかんになされました。合衆国の事件をきっかけにブラック・ライブズ・マター運動が盛り上がり，ベルリンで Mohrenstraße の改名が決定されたのも 2020 年のことでした。なかでも目立ったのは，マスメディアや公的機関におけるジェンダー公正な言語使用（gendergerechte Sprache）の問題です。職業や職位を表す名詞を用いる際，性別や性自認の多様性を反映させるために，Bürger*innen や Bürger:innen といった複数表記を用いるべきかどうかをめぐって，議論が続けられています。その広がりと激しさは「文化闘争」（*Der Spiegel*, Nr.10, 2021）と呼ばれるほどです。言語は社会とともに変化し，また社会を変えていく規範としての力も持ちます。それだけになお，急激な変化や画一的な言い換え要求が，伝統の破壊や表現の豊かさの損失に繋がるという声もきかれます。オンライン化によって受け手の範囲が拡大し，ソーシャルメディア等を通じて読者や視聴者同士のやりとりが容易になったことも，議論の盛り上がりを後押ししています。表現の公正さに関しては，差別・屈辱を感じる個々の当事者に向き合うことが何より大切でありましょう。同時に，不特定多数に向けられた発話では，当事者を含めた受け手の感じ方も均質ではありません。表現の自由と公正な言語使用のバランスについて，今後も議論が続きそうです。

ところで日本語には，「目」「手」「腰」「足」など身体の一部をあらわす漢字を用いた比喩表現が多くあり，日常的に使用されています。そうした表現のなかには，書き手に差別や排除の意図がないことがあきらかで，語源的に身体的特徴を貶めるものでないとしても，受け手によっては痛みを感じたり，連想から差別に繋がると危惧されたりする語があります。本号の編集過程でも，読者が不適切と感じる可能性がある語の使用が問題になりました。当該箇所については，編集委員会で検討を重ねた結果，著者の意向を尊重すべきであるとの結論に至り，そのまま掲載しましたことをここに付記します。

（速水 淑子）

ドイツ研究　第55号
Deutschstudien Nr. 55

2021 年 3 月 30 日　第 1 版第 1 刷発行

編　　　者▶日本ドイツ学会編集委員会
　　　　　　編集委員長　速水淑子
発　　　行▶日本ドイツ学会
　　　　　　理事長　近藤孝弘
発　　　売▶株式会社　極東書店
　　　　　　〒 101-8672　東京都千代田区神田三崎町 2-7-10
　　　　　　帝都三崎町ビル
印刷・製本▶株式会社　双文社印刷